BOUQUINS

COLLECTION DIRIGÉE PAR

GUY SCHOELLER

JEAN-FRANÇOIS REVEL

UNE ANTHOLOGIE DE LA POÉSIE FRANÇAISE

ROBERT LAFFONT

Première édition 1984
Première réimpression 1984
Deuxième réimpression 1986
Troisième réimpression édition augmentée 1989
Quatrième réimpression 1991
Cinquième réimpression 1993

PRÉSENTATION

Il y a très peu de grands poètes, et la plupart des grands poètes ont le plus souvent écrit très peu de beaux poèmes. Le génie poétique n'est pas seulement rare, il se manifeste rarement chez ceux qui le possèdent.

Il existe, bien sûr, quelques exceptions de poètes chez qui presque tout est beau : en France, Baudelaire ou Villon sont de ces exceptions.

Parfois, au sein d'un seul et même poème, un fragment peut se trouver hors de la poésie, contigu à la présence soudaine du sublime. Dans *Les Fleurs du mal,* les trois premières strophes de *Moesta et errabunda* sont plates, malgré la joliesse du premier vers *(Dis-moi, parfois ton cœur s'envole-t-il, Agathe ?)* due surtout au charme suranné du prénom féminin « Agathe », et la grandeur ne surgit qu'avec le premier vers de la quatrième strophe. Elle cesse avec la dernière strophe du *Vallon* de Lamartine. En arrêtant la citation avant, on autorise à dire que le texte n'est pas terminé : mais le poème l'est.

Quelques auteurs sont poètes pour avoir écrit deux ou trois, parfois un seul poème méritant ce nom, ou, pourquoi pas ? un ou deux vers. La question, dans une anthologie, autant que de savoir quels poètes on y inclut, est celle de savoir quels poèmes de ces poètes on choisit comme réellement poétiques.

Le premier principe de cette anthologie est d'être une anthologie de la poésie *lyrique* française, autrement dit, de ce que nous entendons aujourd'hui par poésie tout court, mais qui, jusque très avant dans le XIXe siècle, ne fut considéré que comme l'une des branches de la poésie. Même le romantisme français, bien qu'il donnât le primat au subjectif et à l'émotion, conserva, dans la pratique, une distinction entre divers genres poétiques : poésie lyrique, épique, dramatique, satirique, narrative et même didactique. Il fallut la purification apportée par Baudelaire pour que les genres rattachés à la poésie par leur forme extérieure, mais qui n'en étaient point, s'en séparassent en droit.

Ce premier principe a pour conséquence d'éliminer de la poésie française des auteurs ou des œuvres qui en faisaient partie plus par leur étiquette professionnelle que par leur nature foncière. Nombre de candidats poètes sont de grands écrivains en vers, mais la poésie proprement dite ne court chez eux que sur quelques dizaines de vers, ou pas du tout. Leur propos essentiel n'était d'ailleurs pas là. J'aime beaucoup Mathurin Régnier, mais la verve d'un satiriste versificateur, si doué, si étourdissant soit-il, donne et cherche à donner des joies tout autres que celles attendues de la poésie — à supposer que nous attendions d'elle de la joie, ce qui n'est pas certain. Elle me paraît plutôt destinée à nous plonger dans cette «tristesse majestueuse» dont parle Racine dans la préface de *Bérénice*.

Ces distinctions ont été faites depuis longtemps, en tout cas depuis le début de notre siècle, en particulier par l'abbé Bremond et par Paul Valéry, développant la leçon de Mallarmé. Elles n'ont plus rien de neuf et elles sont désormais admises.

Le second principe est qu'au sein de la poésie, retenue comme telle selon ces critères, il faut, je le répète, ne citer que ce qui éclate comme poésie. L'«anthologie» doit respecter la loi dictée par son étymologie, c'est-à-dire choisir la «fleur» d'une littérature poétique. Cela implique tout naturellement que, même chez les auteurs qui sont, eux, d'intention, poètes «lyriques», ne doit être retenu que ce qui accomplit l'intention et atteint le but. C'est la définition même d'une anthologie, dira-t-on. Et c'est bien vrai : mais cela conduit à s'écarter à maintes reprises des choix traditionnels établis par les anthologies scolaires ou même non scolaires, lesquelles sont trop souvent régies par un souci de compromis entre le respect des réputations et l'expérience de la lecture. Alfred de Musset, par exemple, est, selon moi, quelquefois poète, mais jamais dans les fameuses *Nuits*, dont, pour-

tant, bien peu de recueils nous épargnent un extrait, mis là,
dirait-on, par souci des convenances, plus que par conviction.

Pour proférer un truisme, l'auteur d'une anthologie doit retenir ce qui est réussi et bannir ce qui est manqué, tout en sachant
qu'il n'a d'autre critère distinctif de ces deux attributs que sa
propre expérience personnelle de la poésie. Cercle vicieux : c'est
l'émotion qui me signale, dès les premières notes du quintette
avec clarinette de Mozart, que je me trouve devant un miracle de
la musique, et je dis qu'il s'agit d'un miracle de la musique parce
que j'éprouve cette émotion. Un individu que cette œuvre
n'émeut pas est en droit de déclarer qu'elle est nulle et que je
n'ai aucun goût. Reste qu'une anthologie est une sélection, non
un historique. Elle est ce que serait pour un amateur de peinture
la collection de tableaux qu'il serait libre de réunir à sa guise,
sans obstacle matériel d'aucune sorte, et non point un « pano-
rama » de l'histoire de l'art.

L'idée de sélection n'implique pourtant pas qu'il faille écarter
les œuvres très connues, par coquetterie ou parce que leur beauté
a pu être oblitérée par le ressassement. Tout au contraire. Bon
nombre d'œuvres célèbres figurent parmi les œuvres les plus
belles, ce qui est fort heureux, et fait pour nous rassurer sur la
réalité de l'art, en conjurant le spectre d'un solipsisme total de
l'expérience poétique.

Ce qui m'amène à mon troisième principe. Il constitue la
réciproque du précédent. Choisir ne veut pas dire seulement
écarter, cela veut dire surtout, bien entendu, inclure. A cet
égard, les anthologies de la poésie française sont fréquemment
déséquilibrées par excès d'équilibre. Julien Gracq l'observe avec
justesse dans *En lisant, en écrivant*. Les très grands poètes s'y
voient octroyer une place à peine supérieure à celle qu'occupent
des poètes bien moindres. Certes, il suffit, pour être poète, je l'ai
dit, d'avoir écrit un seul beau poème. C'est chose si rare. Il n'y a
pas de grands poètes, il n'y a que de grands poèmes. Cependant,
la plupart des poètes dont le nom est passé à la postérité ont écrit
une demi-douzaine, une dizaine de pièces réellement poétiques,
tandis que quelques autres en ont écrit bien davantage. Mais on
ne le voit pas assez dans les anthologies, où tous reçoivent peu
ou prou la même place, le même « temps de parole », comme si,

dans une anthologie musicale, on attribuait une heure à Chabrier, et deux seulement à Beethoven. La véritable équité, dans une anthologie, n'est pas typographique, elle ne réside pas dans la pagination.

Du moment que le fil conducteur est de retenir les plus beaux poèmes de la langue française, il faut le suivre, quand bien même la moitié de ces poèmes serait due à un seul poète. Bref, une anthologie doit reposer non pas sur un échantillonnage des poètes mais sur la seule qualité des poèmes. Une anthologie n'est ni un répertoire, ni un précis, ni une chronique : c'est l'avatar moderne des jeux floraux d'antan, mais des jeux destinés à couronner six siècles de poésie.

Reste, précisément, la question des frontières chronologiques, du point de départ et du point d'arrivée. Ce sera le dernier problème soulevé dans ces quelques indications de méthode. A mon sens une anthologie de la poésie française ne peut commencer qu'à la fin du Moyen Age et ne peut pas comprendre *toute* la poésie actuelle.

C'est un fait que la langue française n'est intelligible à un lecteur d'aujourd'hui qu'à partir du XVe siècle. L'ancien français, qui dura presque aussi longtemps que le moderne, était une langue superbe, c'était une langue en soi, riche, nuancée, complexe, nullement le stade primitif de la langue actuelle ; mais c'était une *autre* langue. La pratique, comme celle de toute langue morte, en demande une étude particulière. Pour nous, si nous voulons l'entendre, il faut recourir à la traduction, même baptisée pudiquement, et abusivement, adaptation. Une anthologie de la poésie du demi-millénaire qui a précédé celui que couvre le présent recueil, serait une entreprise, avec texte et traduction, qui mériterait d'être tentée *enfin* complètement et correctement, pour elle-même, et non comme simple antichambre de la suite.

Quant à la poésie d'aujourd'hui, je veux dire de ces trente ou quarante dernières années, l'expérience prouve qu'elle doit faire l'objet, elle aussi, pour des raisons différentes, d'une entreprise propre et distincte. L'auteur d'une anthologie ne réunissant *que* des poètes vivants ou très récents doit prêter l'oreille à toutes les virtualités, pressentir le possible, se faire, comme on dit, « bon public » et s'abstenir quasiment de juger, par peur de laisser échapper. Inadvertance qui, d'ailleurs, se produit néanmoins, quelle que soit la largeur du coup de filet.

Aucune anthologie de la poésie ou du roman ou de l'essai contemporains ne parvient en effet à éviter le mélange de laxisme et de censure, inspirés l'un et l'autre par d'autres passions que celle des textes. Rien n'est plus grotesque et n'offre plus pitoyable mélange de promotions risibles et d'oublis criants que les histoires littéraires ou les « morceaux choisis » contemporains datant seulement d'une trentaine ou d'une quarantaine d'années, sans pour autant qu'ils soient dus tous à des esprits d'un conformisme incurable. Il peut être très excitant de tenter une anthologie de la poésie vivante, et possible de la réussir, en tant que reflet ondoyant du moment, comme plusieurs ouvrages passés et présents le montrent non sans mérite. Mais les préoccupations qui les dictent et les règles qui les gouvernent sont tout autres que celles applicables à une anthologie couvrant *plusieurs siècles*. Inclure, avec la prétention d'être fidèle, les vingt ou trente dernières années dans ce recueil exposerait au double risque de leur faire par rapport aux cinq siècles antérieurs la part trop belle, et de paraître pourtant aux intéressés la mesurer chichement jusqu'au ridicule. Qu'il soit donc bien clair que ceux des poèmes cités ici qui appartiennent à la seconde moitié du XXᵉ siècle sont loin d'être les seuls que je juge être de qualité dans cette période. Je les aime. Il en est d'autres que j'aime aussi, aimerai, on pourrais aimer. L'art est un fait, non un droit.

Cette présentation, destinée simplement à exposer les lignes directrices de mon choix, n'est donc à aucun degré un manifeste normatif. Sans esquisser la moindre « introduction à la poétique » — la meilleure m'ayant toujours paru être de lire et de faire lire des poèmes —, je ne puis, cependant, me résoudre à conclure sans une brève remarque sur les liens entre la langue française et la poésie.

Selon un cliché assez répandu, le français ne serait pas une « langue poétique ». Cette proposition est à mes yeux l'indice d'un manque de sens poétique chez ceux qui l'avancent. De façon générale, une langue n'a pas de grands écrivains parce qu'elle est littéraire, elle est littéraire parce qu'elle a de grands écrivains. Il n'y a pas de langue poétique ou non poétique, il y a des poètes et des poèmes, ou il n'y en a pas ; et, quand il n'y en a pas, une langue n'est pas poétique.

Croire qu'une langue est douée de propriétés intellectuelles ou esthétiques indépendantes de l'usage qui en est fait relève de la même candeur que la croyance dans l'organisation finaliste des phénomènes naturels ou dans les entéléchies scolastiques. Il est courant d'entendre des gens cultivés dire que l'espagnol est une langue « noble », louer la « clarté » du français, la « musicalité » propre de l'italien, les dispositions « naturelles » de la langue allemande pour la philosophie et du latin pour le droit.

Le développement de la philosophie française au cours de la seconde moitié du XXe siècle a montré, je pense, que le français ne recèle aucune « clarté » intrinsèque qui serve de garde-fou à ceux qui l'utilisent. De même, l'image toute faite des Romains « guerriers, administrateurs et juristes » subjugués par le « réalisme » est un écran qui empêche de percevoir ou plutôt de dire que la poésie latine l'emporte de très loin sur la poésie grecque, non point en raison de quelque mystérieuse vertu préexistante, mais tout simplement parce qu'elle compte un plus grand nombre de plus grands poètes *lyriques*. Cette vérité de lecture se brise sur l'idée reçue, et par ailleurs exacte, de la plus grande richesse artistique de la civilisation grecque, comme créatrice de beauté pour les yeux, et de sa suprématie « dialectique » : c'est-à-dire de sa suprématie dans l'art de discuter. Mais, encore un coup, laissons de côté tout matérialisme linguistique, la discussion n'est pas devenue en Grèce un art parce que la langue grecque s'y prêtait ; c'est la langue grecque qui est devenue un instrument dialectique parce que les Grecs ont su discuter.

Une langue, par elle-même, ne crée rien.

Au vu de la période postromantique, en particulier, je ne sais pourquoi l'on va encore répétant que le français serait une langue rebelle à la poésie, alors que la poésie moderne — et la poésie moderne de toutes les littératures — est née parce qu'au cours de la seconde moitié du XIXe siècle, Baudelaire, Verlaine, Rimbaud et Mallarmé ont réussi à dissocier, sans les séparer totalement, mais sans jamais non plus les faire coïncider parfaitement, la musique et le sens, l'image et l'idée.

Fausse est la notion que le français serait retenu loin de la poésie par l'excès de ses liaisons logiques, puisque précisément le premier saut hors de la liaison logique en poésie a été accompli par la poésie française, au cours de la seconde moitié du XIXe siècle.

Ce que nous appelons poésie aujourd'hui, dans quelque langue que ce soit, s'est précipité à ce moment-là. Le passé même, toute la poésie antérieure, nous apprîmes ensuite à les sentir, à les juger à travers les critères et le goût qui furent en cet instant posés ou proposés. Que l'on veuille bien me croire si je jure qu'aucun nationalisme n'inspire ces remarques. Le nationalisme n'est d'ailleurs pas un sentiment esthétique. Mais, présentant une anthologie de la poésie française, il me fallait bien, selon ma conviction, essayer de tordre le cou au vieux lieu commun sur les prétendus rapports distants de la langue française et de la poésie. Leurs éventuelles affinités « naturelles » sont exactement ce qu'elles sont pour toutes les autres langues : nulles. L'œuvre seule les établit. Car ce n'est pas la langue qui crée le poème, c'est le poète. Et le poète n'est, n'a jamais été, ne sera jamais qu'une éventualité.

JEAN-FRANÇOIS REVEL

GUILLAUME APOLLINAIRE

1880-1918

LE PONT MIRABEAU

Sous le pont Mirabeau coule la Seine
Et nos amours
Faut-il qu'il m'en souvienne
La joie venait toujours après la peine

Vienne la nuit sonne l'heure
Les jours s'en vont je demeure

Les mains dans la main restons face à face
Tandis que sous
Le pont de nos bras passe
Des éternels regards l'onde si lasse

Vienne la nuit sonne l'heure
Les jours s'en vont je demeure

L'amour s'en va comme cette eau courante
L'amour s'en va
Comme la vie est lente
Et comme l'Espérance est violente

Vienne la nuit sonne l'heure
Les jours s'en vont je demeure

Passent les jours et passent les semaines
Ni temps passé
Ni les amours reviennent
Sous le pont Mirabeau coule la Seine

Vienne la nuit sonne l'heure
Les jours s'en vont je demeure

Alcools
(1913)

LA CHANSON DU MAL AIMÉ

A Paul Léautaud.

Et je chantais cette romance
En 1903 sans savoir
Que mon amour à la semblance
Du beau Phénix s'il meurt un soir
Le matin voit sa renaissance.

Un soir de demi-brume à Londres
Un voyou qui ressemblait à
Mon amour vint à ma rencontre
Et le regard qu'il me jeta
Me fit baisser les yeux de honte

Je suivis ce mauvais garçon
Qui sifflotait mains dans les poches
Nous semblions entre les maisons
Onde ouverte de la mer Rouge
Lui les Hébreux moi Pharaon

Que tombent ces vagues de briques
Si tu ne fus pas bien aimée
Je suis le souverain d'Égypte
Sa sœur-épouse son armée
Si tu n'es pas l'amour unique

Au tournant d'une rue brûlant
De tous les feux de ses façades
Plaies du brouillard sanguinolent
Où se lamentaient les façades
Une femme lui ressemblant

C'était son regard d'inhumaine
La cicatrice à son cou nu
Sortit saoule d'une taverne
Au moment où je reconnus
La fausseté de l'amour même

Lorsqu'il fut de retour enfin
Dans sa patrie le sage Ulysse
Son vieux chien de lui se souvint
Près d'un tapis de haute lisse
Sa femme attendait qu'il revînt

L'époux royal de Sacontale
Las de vaincre se réjouit
Quand il la retrouva plus pâle
D'attente et d'amour yeux pâlis
Caressant sa gazelle mâle

J'ai pensé à ces rois heureux
Lorsque le faux amour et celle
Dont je suis encore amoureux
Heurtant leurs ombres infidèles
Me rendirent si malheureux

Regrets sur quoi l'enfer se fonde
Qu'un ciel d'oubli s'ouvre à mes vœux
Pour son baiser les rois du monde
Seraient morts les pauvres fameux
Pour elle eussent vendu leur ombre

J'ai hiverné dans mon passé
Revienne le soleil de Pâques
Pour chauffer un cœur plus glacé
Que les quarante de Sébaste
Moins que ma vie martyrisés

Mon beau navire ô ma mémoire
Avons-nous assez navigué
Dans une onde mauvaise à boire
Avons-nous assez divagué
De la belle aube au triste soir

Adieux faux amour confondu
Avec la femme qui s'éloigne
Avec celle que j'ai perdue
L'année dernière en Allemagne
Et que je ne reverrai plus

Voie lactée ô sœur lumineuse
Des blancs ruisseaux de Chanaan
Et des corps blancs des amoureuses
Nageurs morts suivrons-nous d'ahan
Ton cours vers d'autres nébuleuses

Je me souviens d'une autre année
C'était l'aube d'un jour d'avril
J'ai chanté ma joie bien-aimée
Chanté l'amour à voix virile
Au moment d'amour de l'année

AUBADE
CHANTÉE A LAETARE UN AN PASSÉ

C'est le printemps viens-t'en Pâquette
Te promener au bois joli
Les poules dans la cour caquètent
L'aube au ciel fait de roses plis
L'amour chemine à ta conquête

Mars et Vénus sont revenus
Ils s'embrassent à bouches folles
Devant des sites ingénus
Où sous les roses qui feuillolent
De beaux dieux roses dansent nus

Viens ma tendresse est la régente
De la floraison qui paraît
La nature est belle et touchante
Pan sifflote dans la forêt
Les grenouilles humides chantent

Beaucoup de ces dieux ont péri
C'est sur eux que pleurent les saules
Le grand Pan l'amour Jésus-Christ
Sont bien morts et les chats miaulent
Dans la cour je pleure à Paris

Moi qui sais des lais pour les reines
Les complaintes de mes années
Des hymnes d'esclave aux murènes
La romance du mal aimé
Et des chansons pour les sirènes

L'amour est mort j'en suis tremblant
J'adore de belles idoles
Les souvenirs lui ressemblant
Comme la femme de Mausole
Je reste fidèle et dolent

Je suis fidèle comme un dogue
Au maître le lierre au tronc
Et les Cosaques Zaporogues
Ivrognes pieux et larrons
Aux steppes et au décalogue

Portez comme un joug le Croissant
Qu'interrogent les astrologues
Je suis le Sultan tout-puissant
O mes Cosaques Zaporogues
Votre Seigneur éblouissant

Devenez mes sujets fidèles
Leur avait écrit le Sultan
Ils rirent à cette nouvelle
Et répondirent à l'instant
A la lueur d'une chandelle

RÉPONSE DES COSAQUES ZAPOROGUES
AU SULTAN DE CONSTANTINOPLE

Plus criminel que Barrabas
Cornu comme les mauvais anges
Quel Belzébuth es-tu là-bas
Nourri d'immondice et de fange
Nous n'irons pas à tes sabbats

Poisson pourri de Salonique
Long collier des sommeils affreux
D'yeux arrachés à coup de pique
Ta mère fit un pet foireux
Et tu naquis de sa colique

Bourreau de Podolie Amant
Des plaies des ulcères des croûtes
Groin de cochon cul de jument
Tes richesses garde-les toutes
Pour payer tes médicaments

Voie lactée ô sœur lumineuse
Des blancs ruisseaux de Chanaan
Et des corps blancs des amoureuses
Nageurs morts suivrons-nous d'ahan
Ton cours vers d'autres nébuleuses

Regrets des yeux de la putain
Et belle comme une panthère
Amour vos baisers florentins
Avaient une saveur amère
Qui a rebuté nos destins

Ses regards laissaient une traîne
D'étoiles dans les soirs tremblants
Dans ses yeux nageaient les sirènes
Et nos baisers mordus sanglants
Faisaient pleurer nos fées marraines

Mais en vérité je l'attends
Avec mon cœur avec mon âme
Et sur le pont des Reviens-t'en
Si jamais revient cette femme
Je lui dirai Je suis content

Mon cœur et ma tête se vident
Tout le ciel s'écoule par eux
O mes tonneaux des Danaïdes
Comment faire pour être heureux
Comme un petit enfant candide

Je ne veux jamais l'oublier
Ma colombe ma blanche rade
O marguerite exfoliée
Mon île au loin ma Désirade
Ma rose mon giroflier

Les satyres et les pyraustes
Les égypans les feux follets
Et les destins damnés ou faustes
La corde au cou comme à Calais
Sur ma douleur quel holocauste

Douleur qui doubles les destins
La licorne et le capricorne
Mon âme et mon corps incertain
Te fuient ô bûcher divin qu'ornent
Des astres des fleurs du matin

Malheur dieu pâle aux yeux d'ivoire
Tes prêtres fous t'ont-ils paré
Tes victimes en robe noire
Ont-elles vainement pleuré
Malheur dieu qu'il ne faut pas croire

Et toi qui me suis en rampant
Dieu de mes dieux morts en automne
Tu mesures combien d'empans
J'ai droit que la terre me donne
O mon ombre ô mon vieux serpent

Au soleil parce que tu l'aimes
Je t'ai menée souviens-t'en bien
Ténébreuse épouse que j'aime
Tu es à moi en n'étant rien
O mon ombre en deuil de moi-même

L'hiver est mort tout enneigé
On a brûlé les ruches blanches
Dans les jardins et les vergers
Les oiseaux chantent sur les branches
Le printemps clair l'avril léger

Mort d'immortels argyraspides
La neige aux boucliers d'argent
Fuit les dendrophores livides
Du printemps cher aux pauvres gens
Qui resourient les yeux humides

Et moi j'ai le cœur aussi gros
Qu'un cul de dame damascène
O mon amour je t'aimais trop
Et maintenant j'ai trop de peine
Les sept épées hors du fourreau

Sept épées de mélancolie
Sans morfil ô claires douleurs
Sont dans mon cœur et la folie
Veut raisonner pour mon malheur
Comment voulez-vous que j'oublie

LES SEPT ÉPÉES

La première est toute d'argent
Et son nom tremblant c'est Pâline
Sa lame un ciel d'hiver neigeant
Son destin sanglant gibeline
Vulcain mourut en la forgeant

La seconde nommée Noubosse
Est un bel arc-en-ciel joyeux
Les dieux s'en servent à leurs noces
Elle a tué trente Bé-Rieux
Et fut douée par Carabosse

La troisième bleu féminin
N'en est pas moins un chibriape
Appelé Lul de Faltenin
Et que porte sur une nappe
L'Hermès Ernest devenu nain

La quatrième Malourène
Est un fleuve vert et doré
C'est le soir quand les riveraines
Y baignent leurs corps adorés
Et des chants de rameurs s'y traînent

La cinquième Sainte-Fabeau
C'est la plus belle des quenouilles
C'est un cyprès sur un tombeau
Où les quatre vents s'agenouillent
Et chaque nuit c'est un flambeau

La sixième métal de gloire
C'est l'ami aux si douces mains
Dont chaque matin nous sépare
Adieu voilà votre chemin
Les coqs s'épuisaient en fanfares

Et la septième s'exténue
Une femme une rose morte
Merci que le dernier venu
Sur mon amour ferme la porte
Je ne vous ai jamais connue

Voie lactée ô sœur lumineuse
Des blancs ruisseaux de Chanaan
Et des corps blancs des amoureuses
Nageurs morts suivrons-nous d'ahan
Ton cours vers d'autres nébuleuses

Les démons du hasard selon
Le chant du firmament nous mènent
A sons perdus leurs violons
Font danser notre race humaine
Sur la descente à reculons

Destins destins impénétrables
Rois secoués par la folie
Et ces grelottantes étoiles
De fausses femmes dans vos lits
Aux déserts que l'histoire accable

Luitpold le vieux prince régent
Tuteur de deux royautés folles
Sanglote-t-il en y songeant
Quand vacillent les lucioles
Mouches dorées de la Saint-Jean

Près d'un château sans châtelaine
La barque aux barcarols chantants
Sur un lac blanc et sous l'haleine
Des vents qui tremblent au printemps
Voguait cygne mourant sirène

Un jour le roi dans l'eau d'argent
Se noya puis la bouche ouverte
Il s'en revint en surnageant
Sur la rive dormir inerte
Face tournée au ciel changeant

Juin ton soleil ardente lyre
Brûle mes doigts endoloris
Triste et mélodieux délire
J'erre à travers mon beau Paris
Sans avoir le cœur d'y mourir

Les dimanches s'y éternisent
Et les orgues de Barbarie
Y sanglotent dans les cours grises
Les fleurs aux balcons de Paris
Penchent comme la tour de Pise

Soirs de Paris ivres du gin
Flambant de l'électricité
Les tramways feux verts sur l'échine
Musiquent au long des portées
De rails leur folie de machines

Les cafés gonflés de fumée
Crient tout l'amour de leurs tziganes
De tous leurs siphons enrhumés
De leurs garçons vêtus d'un pagne
Vers toi toi que j'ai tant aimée

Moi qui sais des lais pour les reines
Les complaintes de mes années
Des hymnes d'esclave aux murènes
La romance du mal aimé
Et des chansons pour les sirènes

Alcools

CLOTILDE

L'anémone et l'ancolie
Ont poussé dans le jardin
Où dort la mélancolie
Entre l'amour et le dédain

Il y vient aussi nos ombres
Que la nuit dissipera
Le soleil qui les rend sombres
Avec elles disparaîtra

Les déités des eaux vives
Laissent couler leurs cheveux
Passe il faut que tu poursuives
Cette belle ombre que tu veux

Alcools

MARIZIBILL

Dans la Haute-Rue à Cologne
Elle allait et venait le soir
Offerte à tous en tout mignonne
Puis buvait lasse des trottoirs
Très tard dans les brasseries borgnes

Elle se mettait sur la paille
Pour un maquereau roux et rose
C'était un juif il sentait l'ail
Et l'avait venant de Formose
Tirée d'un bordel de Changaï

Je connais gens de toutes sortes
Ils n'égalent pas leurs destins
Indécis comme feuilles mortes
Leurs yeux sont des feux mal éteints
Leurs cœurs bougent comme leurs portes

Alcools

*Oeil libérateur de la forme
et de l'image*

MARIE

*retour très
 historien de la
musicalité
presque
verlainien*

Vous y dansiez petite fille
Y danserez-vous mère-grand
C'est la maclotte qui sautille
Toutes les cloches sonneront
Quand donc reviendrez-vous Marie

Les masques sont silencieux
Et la musique est si lointaine
Qu'elle semble venir des cieux
Oui je veux vous aimer mais vous aimer à peine
Et mon mal est délicieux

Baudelaire

Les brebis s'en vont dans la neige
Flocons de laine et ceux d'argent
Des soldats passent et que n'ai-je
Un cœur à moi ce cœur changeant
Changeant et puis encor que sais-je

Sais-je où s'en iront tes cheveux
Crépus comme mer qui moutonne
Sais-je où s'en iront tes cheveux
Et tes mains feuilles de l'automne
Que jonchent aussi nos aveux

Je passais au bord de la Seine
Un livre ancien sous le bras   *identique*
Le fleuve est pareil à ma peine
Il s'écoule et ne tarit pas   *quand ensuite
n'a plus d'eau*
Quand donc finira la semaine

Alcools

L'ADIEU

J'ai cueilli ce brin de bruyère
L'automne est morte souviens-t'en
Nous ne nous verrons plus sur terre
Odeur du temps brin de bruyère
Et souviens-toi que je t'attends

J'ai eu le courage de regarder en arrière
Les cadavres de mes jours
Marquent ma route et je les pleure
Les uns pourrissent dans les églises italiennes
Ou bien dans de petits bois de citronniers
Qui fleurissent et fructifient
En même temps et en toute saison
D'autres jours ont pleuré avant de mourir dans des tavernes
Où d'ardents bouquets rouaient
Aux yeux d'une mulâtresse qui inventait la poésie
Et les roses de l'électricité s'ouvrent encore
Dans le jardin de ma mémoire

CORS DE CHASSE

Notre histoire est noble et tragique
Comme le masque d'un tyran
Nul drame hasardeux ou magique
Aucun détail indifférent
Ne rend notre amour pathétique

Et Thomas de Quincey buvant
L'opium poison doux et chaste
A sa pauvre Anne allait rêvant
Passons passons puisque tout passe
Je me retournerai souvent

Les souvenirs sont cors de chasse
Dont meurt le bruit parmi le vent

Alcools

[handwritten annotations: celui avait écrivait avant la guerre]

C'EST LOU QU'ON LA NOMMAIT

Il est des loups de toute sorte
Je connais le plus inhumain
Mon cœur que le diable l'emporte
Et qu'il le dépose à sa porte
N'est plus qu'un jouet dans sa main

Les loups jadis étaient fidèles
Comme sont les petits toutous
Et les soldats amants des belles
Galamment en souvenir d'elles
Ainsi que les loups étaient doux

Mais aujourd'hui les temps sont pires
Les loups sont tigres devenus
Et les Soldats et les Empires
Les Césars devenus Vampires
Sont aussi cruels que Vénus

[handwritten annotation: l'absence d'article]

J'en ai pris mon parti Rouveyre
Et monté sur mon grand cheval
Je vais bientôt partir en guerre
Sans pitié chaste et l'œil sévère
Comme ces guerriers qu'Épinal

[handwritten annotation: une ville qui a eu des peintres qui s'appelait les images Épinales]

Vendait Images populaires
Que Georgin gravait dans le bois
Où sont-ils ces beaux militaires
Soldats passés Où sont les guerres
Où sont les guerres d'autrefois

Calligrammes
(1917)

TRISTESSE D'UNE ÉTOILE

Une belle Minerve est l'enfant de ma tête
Une étoile de sang me couronne à jamais
La raison est au fond et le ciel est au faîte
Du chef où dès longtemps Déesse tu t'armais

C'est pourquoi de mes maux ce n'était pas le pire
Ce trou presque mortel et qui s'est étoilé
Mais le secret malheur qui nourrit mon délire
Est bien plus grand qu'aucune âme ait jamais celé

Et je porte avec moi cette ardente souffrance
Comme le ver luisant tient son corps enflammé
Comme au cœur du soldat il palpite la France
Et comme au cœur du lys le pollen parfumé

Calligrammes

FÉLIX ARVERS

1806-1850

SONNET
imité de l'italien

Mon âme a son secret, ma vie a son mystère :
Un amour éternel en un moment conçu :
Le mal est sans espoir, aussi j'ai dû le taire,
Et celle qui l'a fait n'en a jamais rien su.

Hélas ! j'aurai passé près d'elle inaperçu,
Toujours à ses côtés, et pourtant solitaire,
Et j'aurai jusqu'au bout fait mon temps sur la terre,
N'osant rien demander et n'ayant rien reçu.

Pour elle, quoique Dieu l'ait faite douce et tendre,
Elle ira son chemin, distraite, et sans entendre
Ce murmure d'amour élevé sur ses pas ;

A l'austère devoir pieusement fidèle,
Elle dira, lisant ces vers tout remplis d'elle :
« Quelle est donc cette femme ? » et ne comprendra pas.

CHARLES BAUDELAIRE

1821-1867

Tous les poèmes qui suivent appartiennent aux Fleurs du mal *(1861).*

ÉLÉVATION

Au-dessus des étangs, au-dessus des vallées,
Des montagnes, des bois, des nuages, des mers,
Par-delà le soleil, par-delà les éthers,
Par-delà les confins des sphères étoilées,

Mon esprit, tu te meus avec agilité,
Et, comme un bon nageur qui se pâme dans l'onde,
Tu sillonnes gaiement l'immensité profonde
Avec une indicible et mâle volupté.

Envole-toi bien loin de ces miasmes morbides;
Va te purifier dans l'air supérieur,
Et bois, comme une pure et divine liqueur,
Le feu clair qui remplit les espaces limpides.

Derrière les ennuis et les vastes chagrins
Qui chargent de leur poids l'existence brumeuse,
Heureux celui qui peut d'une aile vigoureuse
S'élancer vers les champs lumineux et sereins;

Celui dont les pensers, comme des alouettes,
Vers les cieux le matin prennent un libre essor,
— Qui plane sur la vie, et comprend sans effort
Le langage des fleurs et des choses muettes!

CORRESPONDANCES

La Nature est un temple où de vivants piliers
Laissent parfois sortir de confuses paroles;
L'homme y passe à travers des forêts de symboles
Qui l'observent avec des regards familiers.

Comme de longs échos qui de loin se confondent
Dans une ténébreuse et profonde unité,
Vaste comme la nuit et comme la clarté,
Les parfums, les couleurs et les sons se répondent.

Il est des parfums frais comme des chairs d'enfants,
Doux comme les hautbois, verts comme les prairies,
— Et d'autres, corrompus, riches et triomphants,

Ayant l'expansion des choses infinies,
Comme l'ambre, le musc, le benjoin et l'encens,
Qui chantent les transports de l'esprit et des sens.

L'ENNEMI

Ma jeunesse ne fut qu'un ténébreux orage,
Traversé çà et là par de brillants soleils;
Le tonnerre et la pluie ont fait un tel ravage,
Qu'il reste en mon jardin bien peu de fruits vermeils.

Voilà que j'ai touché l'automne des idées,
Et qu'il faut employer la pelle et les râteaux
Pour rassembler à neuf les terres inondées,
Où l'eau creuse des trous grands comme des tombeaux.

Et qui sait si les fleurs nouvelles que je rêve
Trouveront dans ce sol lavé comme une grève
Le mystique aliment qui ferait leur vigueur?

— O douleur! ô douleur! Le Temps mange la vie,
Et l'obscur Ennemi qui nous ronge le cœur
Du sang que nous perdons croît et se fortifie!

LE GUIGNON

Pour soulever un poids si lourd,
Sisyphe, il faudrait ton courage !
Bien qu'on ait du cœur à l'ouvrage,
L'Art est long et le Temps est court.

Loin des sépultures célèbres,
Vers un cimetière isolé,
Mon cœur, comme un tambour voilé,
Va battant des marches funèbres.

— Maint joyau dort enseveli
Dans les ténèbres et l'oubli,
Bien loin des pioches et des sondes ;

Mainte fleur épanche à regret
Son parfum doux comme un secret
Dans les solitudes profondes.

LA VIE ANTÉRIEURE

J'ai longtemps habité sous de vastes portiques
Que les soleils marins teignaient de mille feux,
Et que leurs grands piliers, droits et majestueux,
Rendaient pareils, le soir, aux grottes basaltiques.

Les houles, en roulant les images des cieux,
Mêlaient d'une façon solennelle et mystique
Les tout-puissants accords de leur riche musique
Aux couleurs du couchant reflété par mes yeux.

C'est là que j'ai vécu dans les voluptés calmes,
Au milieu de l'azur, des vagues, des splendeurs
Et des esclaves nus, tout imprégnés d'odeurs,

Qui me rafraîchissaient le front avec des palmes,
Et dont l'unique soin était d'approfondir
Le secret douloureux qui me faisait languir.

L'IDÉAL

Ce ne seront jamais ces beautés de vignettes,
Produits avariés, nés d'un siècle vaurien,
Ces pieds à brodequins, ces doigts à castagnettes,
Qui sauront satisfaire un cœur comme le mien.

Je laisse à Gavarni, poète des chloroses,
Son troupeau gazouillant de beautés d'hôpital,
Car je ne puis trouver parmi ces pâles roses
Une fleur qui ressemble à mon rouge idéal.

Ce qu'il faut à ce cœur profond comme un abîme,
C'est vous, Lady Macbeth, âme puissante au crime,
Rêve d'Eschyle éclos au climat des autans;

Ou bien toi, grande Nuit, fille de Michel-Ange,
Qui tors paisiblement dans une pose étrange
Tes appas façonnés aux bouches des Titans!

PARFUM EXOTIQUE

Quand, les deux yeux fermés, en un soir chaud d'automne,
Je respire l'odeur de ton sein chaleureux,
Je vois se dérouler des rivages heureux
Qu'éblouissent les feux d'un soleil monotone;

Une île paresseuse où la nature donne
Des arbres singuliers et des fruits savoureux;
Des hommes dont le corps est mince et vigoureux,
Et des femmes dont l'œil par sa franchise étonne.

Guidé par ton odeur vers de charmants climats,
Je vois un port rempli de voiles et de mâts
Encor tout fatigués par la vague marine,

Pendant que le parfum des verts tamariniers,
Qui circule dans l'air et m'enfle la narine,
Se mêle dans mon âme au chant des mariniers.

Je t'adore à l'égal de la voûte nocturne,
O vase de tristesse, ô grande taciturne,
Et t'aime d'autant plus, belle, que tu me fuis,
Et que tu me parais, ornement de mes nuits,
Plus ironiquement accumuler les lieues
Qui séparent mes bras des immensités bleues.

Je m'avance à l'attaque, et je grimpe aux assauts,
Comme après un cadavre un chœur de vermisseaux,
Et je chéris, ô bête implacable et cruelle!
Jusqu'à cette froideur par où tu m'es plus belle!

Avec ses vêtements ondoyants et nacrés,
Même quand elle marche on croirait qu'elle danse,
Comme ces longs serpents que les jongleurs sacrés
Au bout de leurs bâtons agitent en cadence.

Comme le sable morne et l'azur des déserts,
Insensibles tous deux à l'humaine souffrance,
Comme les longs réseaux de la houle des mers,
Elle se développe avec indifférence.

Ses yeux polis sont faits de minéraux charmants,
Et dans cette nature étrange et symbolique
Où l'ange inviolé se mêle au sphinx antique,

Où tout n'est qu'or, acier, lumière et diamants,
Resplendit à jamais, comme un astre inutile,
La froide majesté de la femme stérile.

Une nuit que j'étais près d'une affreuse Juive,
Comme au long d'un cadavre un cadavre étendu,
Je me pris à songer près de ce corps vendu
A la triste beauté dont mon désir se prive.

Je me représentai sa majesté native,
Son regard de vigueur et de grâces armé,
Ses cheveux qui lui font un casque parfumé,
Et dont le souvenir pour l'amour me ravive.

Car j'eusse avec ferveur baisé ton noble corps,
Et depuis tes pieds frais jusqu'à tes noires tresses
Déroulé le trésor des profondes caresses,

Si, quelque soir, d'un pleur obtenu sans effort
Tu pouvais seulement, ô reine des cruelles!
Obscurcir la splendeur de tes froides prunelles.

REMORDS POSTHUME

Lorsque tu dormiras, ma belle ténébreuse,
Au fond d'un monument construit en marbre noir,
Et lorsque tu n'auras pour alcôve et manoir
Qu'un caveau pluvieux et qu'une fosse creuse ;

Quand la pierre, opprimant ta poitrine peureuse
Et tes flancs qu'assouplit un charmant nonchaloir,
Empêchera ton cœur de battre et de vouloir,
Et tes pieds de courir leur course aventureuse,

Le tombeau, confident de mon rêve infini
(Car le tombeau toujours comprendra le poète),
Durant ces grandes nuits d'où le somme est banni,

Te dira : « Que vous sert, courtisane imparfaite,
De n'avoir pas connu ce que pleurent les morts ? »
— Et le ver rongera ta peau comme un remords.

Je te donne ces vers afin que si mon nom
Aborde heureusement aux époques lointaines,
Et fait rêver un soir les cervelles humaines,
Vaisseau favorisé par un grand aquilon,

Ta mémoire, pareille aux fables incertaines,
Fatigue le lecteur ainsi qu'un tympanon,
Et par un fraternel et mystique chaînon
Reste comme pendue à mes rimes hautaines ;

Être maudit à qui, de l'abîme profond
Jusqu'au plus haut du ciel, rien, hors moi, ne répond !
— O toi qui, comme une ombre à la trace éphémère,

Foules d'un pied léger et d'un regard serein
Les stupides mortels qui t'ont jugée amère,
Statue aux yeux de jais, grand ange au front d'airain !

Que diras-tu ce soir, pauvre âme solitaire,
Que diras-tu, mon cœur, cœur autrefois flétri,
A la très belle, à la très bonne, à la très chère,
Dont le regard divin t'a soudain refleuri ?

— Nous mettrons notre orgueil à chanter ses louanges :
Rien ne vaut la douceur de son autorité ;
Sa chair spirituelle a le parfum des Anges,
Et son œil nous revêt d'un habit de clarté.

Que ce soit dans la nuit et dans la solitude,
Que ce soit dans la rue et dans la multitude,
Son fantôme dans l'air danse comme un flambeau.

Parfois il parle et dit : « Je suis belle, et j'ordonne
Que pour l'amour de moi vous n'aimiez que le Beau ;
Je suis l'Ange gardien, la Muse et la Madone. »

L'AUBE SPIRITUELLE

Quand chez les débauchés l'aube blanche et vermeille
Entre en société de l'Idéal rongeur,
Par l'opération d'un mystère vengeur
Dans la brute assoupie un ange se réveille.

Des Cieux Spirituels l'inaccessible azur,
Pour l'homme terrassé qui rêve encore et souffre,
S'ouvre et s'enfonce avec l'attirance du gouffre.
Ainsi, chère Déesse, Être lucide et pur,

Sur les débris fumeux des stupides orgies
Ton souvenir plus clair, plus rose, plus charmant,
A mes yeux agrandis voltige incessamment.

Le soleil a noirci la flamme des bougies ;
Ainsi, toujours vainqueur, ton fantôme est pareil,
Ame resplendissante, à l'immortel soleil !

CAUSERIE

Vous êtes un beau ciel d'automne, clair et rose !
Mais la tristesse en moi monte comme la mer,
Et laisse, en refluant, sur ma lèvre morose
Le souvenir cuisant de son limon amer.

— Ta main se glisse en vain sur mon sein qui se pâme ;
Ce qu'elle cherche, amie, est un lieu saccagé
Par la griffe et la dent féroce de la femme.
Ne cherchez plus mon cœur ; les bêtes l'ont mangé.

Mon cœur est un palais flétri par la cohue ;
On s'y soûle, on s'y tue, on s'y prend aux cheveux !
— Un parfum nage autour de votre gorge nue !...

O Beauté, dur fléau des âmes, tu le veux !
Avec tes yeux de feu, brillants comme des fêtes,
Calcine ces lambeaux qu'ont épargnés les bêtes !

CHANT D'AUTOMNE

J'aime de vos longs yeux la lumière verdâtre,
Douce beauté, mais tout aujourd'hui m'est amer,
Et rien, ni votre amour, ni le boudoir, ni l'âtre,
Ne me vaut le soleil rayonnant sur la mer.

Et pourtant aimez-moi, tendre cœur! soyez mère,
Même pour un ingrat, même pour un méchant;
Amante ou sœur, soyez la douceur éphémère
D'un glorieux automne ou d'un soleil couchant.

Courte tâche! La tombe attend; elle est avide!
Ah! laissez-moi, mon front posé sur vos genoux,
Goûter, en regrettant l'été blanc et torride,
De l'arrière-saison le rayon jaune et doux!

À UNE DAME CRÉOLE

Au pays parfumé que le soleil caresse,
J'ai connu, sous un dais d'arbres tout empourprés
Et de palmiers d'où pleut sur les yeux la paresse,
Une dame créole aux charmes ignorés.

Son teint est pâle et chaud; la brune enchanteresse
A dans le cou des airs noblement maniérés;
Grande et svelte en marchant comme une chasseresse,
Son sourire est tranquille et ses yeux assurés.

Si vous alliez, Madame, au vrai pays de gloire,
Sur les bords de la Seine ou de la verte Loire,
Belle digne d'orner les antiques manoirs,

Vous feriez, à l'abri des ombreuses retraites,
Germer mille sonnets dans le cœur des poètes,
Que vos grands yeux rendraient plus soumis que vos noirs.

MOESTA ET ERRABUNDA

. . . .

Comme vous êtes loin, paradis parfumé,
Où sous un clair azur tout n'est qu'amour et joie,
Où tout ce que l'on aime est digne d'être aimé,
Où dans la volupté pure le cœur se noie !
Comme vous êtes loin, paradis parfumé !

Mais le vert paradis des amours enfantines,
Les courses, les chansons, les baisers, les bouquets,
Les violons vibrant derrière les collines,
Avec les brocs de vin, le soir, dans les bosquets,
— Mais le vert paradis des amours enfantines,

L'innocent paradis, plein de plaisirs furtifs,
Est-il déjà plus loin que l'Inde et que la Chine ?
Peut-on le rappeler avec des cris plaintifs,
Et l'animer encor d'une voix argentine,
L'innocent paradis plein de plaisirs furtifs ?

SPLEEN

J'ai plus de souvenirs que si j'avais mille ans.

Un gros meuble à tiroirs encombré de bilans,
De vers, de billets doux, de procès, de romances,
Avec de lourds cheveux roulés dans des quittances,
Cache moins de secrets que mon triste cerveau.
C'est une pyramide, un immense caveau,
Qui contient plus de morts que la fosse commune.
— Je suis un cimetière abhorré de la lune,
Où comme des remords se traînent de longs vers
Qui s'acharnent toujours sur mes morts les plus chers.
Je suis un vieux boudoir plein de roses fanées,
Où gît tout un fouillis de modes surannées,
Où les pastels plaintifs et les pâles Boucher,
Seuls, respirent l'odeur d'un flacon débouché.
Rien n'égale en longueur les boiteuses journées,
Quand sous les lourds flocons des neigeuses années
L'ennui, fruit de la morne incuriosité,
Prend les proportions de l'immortalité.
— Désormais tu n'es plus, ô matière vivante!
Qu'un granit entouré d'une vague épouvante,
Assoupi dans le fond d'un Sahara brumeux;
Un vieux sphinx ignoré du monde insoucieux,
Oublié sur la carte, et dont l'humeur farouche
Ne chante qu'aux rayons du soleil qui se couche.

SPLEEN

Quand le ciel bas et lourd pèse comme un couvercle
Sur l'esprit gémissant en proie aux longs ennuis,
Et que de l'horizon embrassant tout le cercle
Il nous verse un jour noir plus triste que les nuits;

Quand la terre est changée en un cachot humide,
Où l'Espérance, comme une chauve-souris,
S'en va battant les murs de son aile timide
Et se cognant la tête à des plafonds pourris;

Quand la pluie étalant ses immenses traînées
D'une vaste prison imite les barreaux,
Et qu'un peuple muet d'infâmes araignées
Vient tendre ses filets au fond de nos cerveaux,

Des cloches tout à coup sautent avec furie
Et lancent vers le ciel un affreux hurlement,
Ainsi que des esprits errants et sans patrie
Qui se mettent à geindre opiniâtrement.

— Et de longs corbillards, sans tambours ni musique,
Défilent lentement dans mon âme; l'Espoir,
Vaincu, pleure, et l'Angoisse atroce, despotique,
Sur mon crâne incliné plante son drapeau noir.

LE CYGNE

A Victor Hugo.

. . . .

Je pense à la négresse, amaigrie et phtisique,
Piétinant dans la boue, et cherchant, l'œil hagard,
Les cocotiers absents de la superbe Afrique
Derrière la muraille immense du brouillard ;

A quiconque a perdu ce qui ne se retrouve
Jamais, jamais ! à ceux qui s'abreuvent de pleurs
Et tètent la Douleur comme une bonne louve !
Aux maigres orphelins séchant comme des fleurs !

Ainsi dans la forêt où mon esprit s'exile
Un vieux Souvenir sonne à plein souffle du cor !
Je pense aux matelots oubliés dans une île,
Aux captifs, aux vaincus !... à bien d'autres encor !

LA MORT DES AMANTS

Nous aurons des lits pleins d'odeurs légères,
Des divans profonds comme des tombeaux,
Et d'étranges fleurs sur des étagères,
Écloses pour nous sous des cieux plus beaux.

Usant à l'envi leurs chaleurs dernières,
Nos deux cœurs seront deux vastes flambeaux,
Qui réfléchiront leurs doubles lumières
Dans nos deux esprits, ces miroirs jumeaux.

Un soir fait de rose et de bleu mystique,
Nous échangerons un éclair unique,
Comme un long sanglot, tout chargé d'adieux;

Et plus tard un Ange, entrouvrant les portes,
Viendra ranimer, fidèle et joyeux,
Les miroirs ternis et les flammes mortes.

RECUEILLEMENT

Sois sage, ô ma douleur, et tiens-toi plus tranquille.
Tu réclamais le Soir ; il descend ; le voici :
Une atmosphère obscure enveloppe la ville,
Aux uns portant la paix, aux autres le souci.

Pendant que des mortels la multitude vile,
Sous le fouet du Plaisir, ce bourreau sans merci,
Va cueillir des remords dans la fête servile,
Ma Douleur, donne-moi la main ; viens par ici,

Loin d'eux. Vois se pencher les défuntes Années,
Sur les balcons du ciel, en robes surannées ;
Surgir du fond des eaux le Regret souriant ;

Le Soleil moribond s'endormir sous une arche,
Et, comme un long linceul traînant à l'Orient,
Entends, ma chère, entends la douce Nuit qui marche.

JOACHIM DU BELLAY

1522-1560

SONNET 113 DE L'*OLIVE*

Si notre vie est moins qu'une journée
En l'éternel, si l'an qui fait le tour
Chasse nos jours sans espoir de retour,
Si périssable est toute chose née,

Que songes-tu, mon âme emprisonnée?
Pourquoi te plaît l'obscur de notre jour,
Si, pour voler en un plus clair séjour,
Tu as au dos l'aile bien empennée?

Là est le bien que tout esprit désire,
Là le repos où tout le monde aspire,
Là est l'amour, là le plaisir encore.

Là, ô mon âme, au plus haut ciel guidée,
Tu y pourras reconnaître l'Idée
De la beauté qu'en ce monde j'adore.

(1549)

LES ANTIQUITÉS DE ROME
(1558)

Divins esprits, dont la poudreuse cendre
Gît sous le faix de tant de murs couverts,
Non votre los[1], qui vif par vos beaux vers
Ne se verra sous la terre descendre,

Si des humains la voix se peut étendre
Depuis ici jusqu'au fond des enfers,
Soient à mon cri les abîmes ouverts
Tant que d'abas[2] vous me puissiez entendre.

Trois fois cernant sous le voile des cieux
De vos tombeaux le tour dévotieux,
A haute voix trois fois je vous appelle :

J'invoque ici votre antique fureur,
En cependant que d'une sainte horreur
Je vais chantant votre gloire plus belle.

---

1. Éloge, gloire.
2. D'en bas, de là-bas.

Nouveau venu, qui cherches Rome en Rome
Et rien de Rome en Rome n'aperçois,
Ces vieux palais, ces vieux arcs que tu vois,
Et ces vieux murs, c'est ce que Rome on nomme.

Vois quel orgueil, quelle ruine : et comme
Celle qui mit le monde sous ses lois,
Pour dompter tout, se dompta quelquefois,
Et devint proie au temps, qui tout consomme.

Rome de Rome est le seul monument,
Et Rome Rome a vaincu seulement.
Le Tibre seul, qui vers la mer s'enfuit,

Reste de Rome. O mondaine inconstance !
Ce qui est ferme, est par le temps détruit,
Et ce qui fuit, au temps fait résistance.

Pâles esprits, et vous ombres poudreuses,
Qui jouissant de la clarté du jour
Fîtes sortir cet orgueilleux séjour,
Dont nous voyons les reliques cendreuses :

Dites, esprits (ainsi les ténébreuses
Rives de Styx non passable au retour,
Vous enlaçant d'un trois fois triple tour,
N'enferment point vos images ombreuses),

Dites-moi donc (car quelqu'une de vous
Possible encor se cache ici dessous)
Ne sentez-vous augmenter votre peine,

Quand quelquefois de ces coteaux romains
Vous contemplez l'ouvrage de vos mains
N'être plus rien qu'une poudreuse plaine ?

Comme l'on voit de loin sur la mer courroucée
Une montagne d'eau d'un grand branle ondoyant,
Puis traînant mille flots, d'un gros choc aboyant
Se crever contre un roc, où le vent l'a poussée :

Comme on voit la fureur par l'Aquilon chassée
D'un sifflement aigu l'orage tournoyant,
Puis d'une aile plus large en l'air s'esbanoyant
Arrêter tout à coup sa carrière lassée :

Et comme on voit la flamme ondoyant en cent lieux
Se rassemblant en un, s'aiguiser vers les cieux,
Puis tomber languissante : ainsi parmi le monde

Erra la monarchie et, croissant tout ainsi
Qu'un flot, qu'un vent, qu'un feu, sa course vagabonde
Par un arrêt fatal s'est venue perdre ici.

Ces grands monceaux pierreux, ces vieux murs que tu vois,
Furent premièrement le clos d'un lieu champêtre :
Et ces braves palais, dont le temps s'est fait maître,
Cassines de pasteurs ont été quelquefois.

Lors prirent les bergers les ornements des rois,
Et le dur laboureur de fer arma sa dextre :
Puis l'annuel pouvoir le plus grand se vit être,
Et fut encor plus grand le pouvoir de six mois :

Qui, fait perpétuel, crut en telle puissance,
Que l'aigle impérial de lui prit sa naissance :
Mais le Ciel, s'opposant à tel accroissement,

Mit ce pouvoir ès mains du successeur de Pierre,
Qui sous nom de pasteur, fatal à cette terre,
Montre que tout retourne à son commencement.

LES REGRETS
(1558)

Las, où est maintenant ce mépris de fortune ?
Où est ce cœur vainqueur de toute adversité,
Cet honnête désir de l'immortalité,
Et cette honnête flamme au peuple non commune ?

Où sont ces doux plaisirs, qu'au soir sous la nuit brune
Les Muses me donnaient, alors qu'en liberté
Dessus le vert tapis d'un rivage écarté
Je les menais danser aux rayons de la lune ?

Maintenant la fortune est maîtresse de moi,
Et mon cœur, qui soulait [1] être maître de soi,
Est serf de mille maux et regrets qui m'ennuient,

De la postérité je n'ai plus de souci,
Cette divine ardeur, je ne l'ai plus aussi,
Et les Muses de moi, comme étranges, s'enfuient.

_____

1. Avait l'habitude de.

Malheureux l'an, le mois, le jour, l'heure et le point,
Et malheureuse soit la flatteuse espérance,
Quand pour venir ici j'abandonnai la France :
La France, et mon Anjou, dont le désir me point.

Vraiment d'un bon oiseau guidé je ne fus point,
Et mon cœur me donnait assez signifiance
Que le ciel était plein de mauvaise influence,
Et que Mars était lors à Saturne conjoint.

Cent fois le bon avis lors m'en voulut distraire,
Mais toujours le destin me tirait au contraire :
Et si mon désir n'eût aveuglé ma raison,

N'était-ce pas assez pour rompre mon voyage,
Quand sur le seuil de l'huis, d'un sinistre présage,
Je me blessai le pied sortant de ma maison ?

Maintenant je pardonne à la douce fureur
Qui m'a fait consumer le meilleur de mon âge,
Sans tirer autre fruit de mon ingrat ouvrage
Que le vain passe-temps d'une si longue erreur.

Maintenant je pardonne à ce plaisant labeur,
Puisque seul il endort le souci qui m'outrage,
Et puisque seul il fait qu'au milieu de l'orage,
Ainsi qu'auparavant, je ne tremble de peur.

Si les vers ont été l'abus de ma jeunesse,
Les vers seront aussi l'appui de ma vieillesse,
S'ils furent ma folie, ils seront ma raison,

S'ils furent ma blessure, ils seront mon Achille,
S'ils furent mon venin, le scorpion utile
Qui sera de mon mal la seule guérison.

Heureux qui, comme Ulysse, a fait un beau voyage,
Ou comme celui-là qui conquit la toison,
Et puis est retourné, plein d'usage et raison,
Vivre entre ses parents le reste de son âge !

Quand reverrai-je, hélas, de mon petit village
Fumer la cheminée, et en quelle saison
Reverrai-je le clos de ma pauvre maison,
Qui m'est une province, et beaucoup davantage ?

Plus me plaît le séjour qu'ont bâti mes aïeux
Que des palais romains le front audacieux,
Plus que le marbre dur me plaît l'ardoise fine,

Plus mon Loire gaulois que le Tibre latin,
Plus mon petit Liré que le mont Palatin,
Et plus que l'air marin la douceur angevine.

NICOLAS BOILEAU

1636-1711

Extrait de l'ÉPITRE III

A M. Arnaud
Docteur de Sorbonne.

Le moment où je parle est déjà loin de moi.

(1674)

Extrait de l'ÉPITRE V

A M. de Guilleragues
Secrétaire du Cabinet.

Mes défauts désormais sont mes seuls ennemis.

(1674)

YVES BONNEFOY

Né en 1923

Les extraits d'Yves Bonnefoy sont tirés du recueil
Du mouvement et de l'immobilité de Douve (1953)
et sont reproduits avec l'autorisation de Mercure de France.

THÉATRE
(extraits)

I

Je te voyais courir sur des terrasses,
Je te voyais lutter contre le vent,
Le froid saignait sur tes lèvres.

Et je t'ai vue te rompre et jouir d'être morte ô plus belle
Que la foudre, quand elle tache les vitres blanches de ton sang.

II

L'été vieillissant te gerçait d'un plaisir monotone, nous méprisions l'ivresse imparfaite de vivre.

« Plutôt le lierre, disais-tu, l'attachement du lierre aux pierres de sa nuit : présence sans issue, visage sans racine.

« Dernière vitre heureuse que l'ongle solaire déchire, plutôt dans la montagne ce village où mourir.

« Plutôt ce vent... »

III

Il s'agissait d'un vent plus fort que nos mémoires,
Stupeur des robes et cri des rocs — et tu passais devant ces
  flammes
La tête quadrillée les mains fendues et toute
En quête de la mort sur les tambours exultants de tes gestes.

C'était jour de tes seins
Et tu régnais enfin absente de ma tête.

IV

Je me réveille, il pleut. Le vent te pénètre, Douve, lande
résineuse endormie près de moi. Je suis sur une terrasse, dans un
trou de la mort. De grands chiens de feuillages tremblent.

Le bras que tu soulèves, soudain, sur une porte, m'illumine à
travers les âges. Village de braise, à chaque instant je te vois
naître, Douve,

A chaque instant mourir.

DERNIERS GESTES
(extraits)

IV

Es-tu vraiment morte ou joues-tu
Encore à simuler la pâleur et le sang,
O toi passionnément au sommeil qui te livres
Comme on ne sait que mourir ?

Es-tu vraiment morte ou joues-tu
Encore en tout miroir
A perdre ton reflet, ta chaleur et ton sang
Dans l'obscurcissement d'un visage immobile ?

VI

Sur un fangeux hiver, Douve, j'étendais
Ta face lumineuse et basse de forêt.
Tout se défait, pensai-je, tout s'éloigne.

Je te revis violente et riant sans retour,
De tes cheveux au soir d'opulentes saisons
Dissimuler l'éclat d'un visage livide.

Je te revis furtive. En lisière des arbres
Paraître comme un feu quand l'automne resserre
Tout le bruit de l'orage au cœur des frondaisons.

O plus noire et déserte ! Enfin je te vis morte,
Inapaisable éclair que le néant supporte,
Vitre sitôt éteinte, et d'obscure maison.

VRAI NOM

Je nommerai désert ce château que tu fus,
Nuit cette voix, absence ton visage,
Et quand tu tomberas dans la terre stérile
Je nommerai néant l'éclair qui t'a porté.

Mourir est un pays que tu aimais. Je viens
Mais éternellement par tes sombres chemins.
Je détruis ton désir, ta forme, ta mémoire,
Je suis ton ennemi qui n'aura de pitié.

Je te nommerai guerre et je prendrai
Sur toi les libertés de la guerre et j'aurai
Dans mes mains ton visage obscur et traversé,
Dans mon cœur ce pays qu'illumine l'orage.

VRAI NOM

Je nommerai désert ce château que tu fus,
Nuit cette voix, absence ton visage,
Et quand tu tomberas dans la terre stérile
Je nommerai néant l'éclair qui t'a porté.

Mourir est un pays que tu aimais. Je viens
Mais éternellement par tes sombres chemins.
Je détruis ton désir, ta forme, ta mémoire,
Je suis ton ennemi qui n'aura de pitié.

Je te nommerai guerre et je prendrai
Sur toi les libertés de la guerre et j'aurai
Dans mes mains ton visage obscur et traversé,
Dans mon cœur ce pays qu'illumine l'orage.

ANDRÉ BRETON

1896-1966

L'extrait d'André Breton qui suit est tiré de Point du jour
et reproduit avec l'autorisation des éditions Gallimard.

INTRODUCTION AU DISCOURS
SUR LE PEU DE RÉALITÉ
(Extrait)

. . . .

Nous aimer, ne resterait-il que quelques jours, nous aimer
parce que nous sommes seuls à la suite de ce fameux tremble-
ment de terre, et qu'on ne parviendra jamais à nous dégager en
raison du trop grand amoncellement de décombres, il ne reste
que cette ressource : nous aimer. Je n'ai point imaginé de ma vie
de plus belle fin. Là nous n'aurions plus, dites, à faire la part des
choses. Quelques mètres carrés nous suffiraient, — oh! je sais
que vous ne serez pas de mon avis, mais si vous m'aimiez! Et
puis c'est un peu ce qui nous arrive. Paris s'est écroulé hier;
nous sommes très bas, très bas, où nous n'avons guère de place.
Il n'y a ni pain ni eau, vous qui aviez peur de la prison! Avant
peu ce sera fini : oui, l'on voudrait bien avoir une arme pour s'en
servir le troisième, le quatrième jour, mais voilà! Pourtant,
songez-y, qu'est-ce qu'une union du genre de la nôtre ne réalise
pas? Vous êtes à moi pour la première fois peut-être. Vous ne
vous éloignerez plus; vous n'aurez plus à prendre votre parti de
me manquer quelques heures, une seconde. Inutile, c'est fermé
de tous côté, je vous assure.

Et nous aimer tant qu'il se pourra, parce que voyez-vous, moi
qui ai accepté l'augure de ce formidable écroulement, j'ai cessé

un peu de le souhaiter la première fois que je vous ai vue. Tenez, voici notre avant-dernière veilleuse qui baisse ; nous n'allumerons l'autre que lorsqu'il se fera tout à fait tard dans notre vie. Ce sera mieux, croyez-moi. Mais viens plus près, encore plus près. C'est toi ? L'avons-nous assez désirée, rappelle-toi, cette ignorance du reste ! Tu ne voulais plus danser, tu voulais que le temps que tu étais retenue loin de moi je le passasse à t'écrire, est-il vrai ? Maintenant nous sommes livrés pour l'éternité à nous-mêmes. Il commence à faire nuit. Quoi, vous pleurez ? Je crains que vous ne m'aimiez pas.

(1924)

BLAISE CENDRARS

1887-1961

L'extrait de Blaise Cendrars qui suit est extrait de Du monde entier,
poésies complètes (1912-1924)
et reproduit avec l'autorisation des éditions Denoël.

CONTRASTES

Les fenêtres de ma poésie sont grand'ouvertes sur les boulevards
    et dans ses vitrines
Brillent
Les pierreries de la lumière
Écoute les violons des limousines et les xylophones des linoty-
    pes
Le pocheur se lave dans l'essuie-main du ciel
Tout est taches de couleur
Et les chapeaux des femmes qui passent sont des comètes dans
    l'incendie du soir

L'unité
Il n'y a plus d'unité
Toutes les horloges marquent maintenant 24 heures après avoir
    été retardées de dix minutes
Il n'y a plus de temps.
Il n'y a plus d'argent.
A la Chambre
On gâche les éléments merveilleux de la matière première

Chez le bistro
Les ouvriers en blouse bleue boivent du vin rouge
Tous les samedis poule au gibier
On joue
On parie
De temps en temps un bandit passe en automobile
Ou un enfant joue avec l'Arc de Triomphe...
Je conseille à M. Cochon de loger ses protégés à la Tour Eiffel.

Aujourd'hui
Changement de propriétaire
Le Saint-Esprit se détaille chez les plus petits boutiquiers
Je lis avec ravissement les bandes de calicot
De coquelicot
Il n'y a que les pierres ponces de la Sorbonne qui ne sont jamais
    fleuries
L'enseigne de la Samaritaine laboure par contre la Seine
Et du côté de Saint-Séverin
J'entends
Les sonnettes acharnées des tramways

Il pleut les globes électriques
Montrouge Gare de l'Est Métro Nord-Sud Bateaux-mouches
    monde
Tout est halo
Profondeur
Rue de Buci on crie *L'Intransigeant* et *Paris-Sports*
L'aérodrome du ciel est maintenant, embrasé, un tableau de
    Cimabue
Quand par devant
Les hommes sont Longs
Noirs
Tristes
Et fument, cheminées d'usine.

(Octobre 1913)

RENÉ CHAR

1907-1988

Les extraits de René Char qui suivent sont reproduits avec
l'autorisation des éditions Gallimard
et de la Librairie José Corti pour
Le Marteau sans maître *suivi de* Moulin premier.

Le Marteau sans maître
(1934)

LES ASCIENS

Découvre-toi la fraîcheur commence à tomber
Le salut méprisable est dans l'un des tiroirs de nos passions
L'expérience de l'amour
Glanée à la mosaïque des délires
Oriente notre devenir
Nous sommes visiblement présents
En surface
Pour le baiser de fausse route
Nous écrasons les derniers squelettes vibrants du parc idéal
D'un bout à l'autre de la distance hors mémoire
Nous apparaissons comme les végétaux complets
Envahisseurs du nouvel âge primitif
Sujet au royaume de la pariétaire profonde
Pour une période de jeunesse
Nous regardons couler dans les veines des chairs volatiles
Les fleurs microscopiques de la marée
En nous
La vie le mouvement la paralysie la mort est un voyage par eau
    comme la barre d'acier
Les lettres de la Table sont gravées sur une plaque publique
    clouée
Nous touchons au nœud du métal
Qui donne la mort
Sans laisser de trace.

LES OBSERVATEURS ET LES RÊVEURS

A Maurice Blanchard.

Avant de rejoindre les nomades
Les séducteurs allument les colonnes de pétrole
Pour dramatiser les récoltes

Demain commenceront les travaux poétiques
Précédés du cycle de la mort volontaire
Le règne de l'obscurité a coulé la raison le diamant dans la mine.

Mères éprises des mécènes du dernier soupir
Mères excessives
Toujours à creuser le cœur massif
Sur vous passera indéfiniment le frisson des fougères des cuisses
    embaumées
On vous gagnera
Vous vous coucherez

Seuls aux fenêtres des fleuves
Les grands visages éclairés
Rêvent qu'il n'y a rien de périssable
Dans leur paysage carnassier.

Moulin premier
(1934)

COMMUNE PRÉSENCE

I

Éclaireur comme tu surviens tard
L'arbre a châtié une à une ses feuilles
La terre à bec-de-lièvre a bu le dévoué sourire
Je t'écoutais au menu jour gravir la croisée
Où s'émiette au-dessus de l'indifférence des chiens
La toute pure image expérimentale du crime en voie de fossilisa-
    tion
Qui prête au bienveillant les rumeurs de l'hostile
A l'irréfléchi le destin du mutiné ?
L'inhumain ne s'est pas servilement converti
Au comptoir des mots enchantés
Indiscernable il rôde sur le tracé des flaques
Et gouverne selon son sang
Gardien de sa raison de son amour de son butin de son oubli de
    sa révolte de ses certitudes

Charpente constellée
Sont-ils épris de leur propre mort
Au point de ne pouvoir de leur vivant l'attribuant
Se démettre déborder d'elle...

II

Tu es pressé d'écrire
Comme si tu étais en retard sur la vie
S'il en est ainsi fais cortège à tes sources
Hâte-toi
Hâte-toi de transmettre
Ta part de merveilleux de rébellion de bienfaisance
Effectivement tu es en retard sur la vie
La vie inexprimable
La seule en fin de compte à laquelle tu acceptes de t'unir
Celle qui t'est refusée chaque jour par les êtres et par les choses
Dont tu obtiens péniblement de-ci de-là quelques fragments
   décharnés
Au bout de combats sans merci
Hors d'elle tout n'est qu'agonie soumise fin grossière
Si tu rencontres la mort durant ton labeur
Reçois-la comme la nuque en sueur trouve bon le mouchoir aride
En t'inclinant
Si tu veux rire
Offre ta soumission
Jamais tes armes
Tu as été créé pour des moments peu communs
Modifie-toi disparais sans regret
Au gré de la rigueur suave
Quartier suivant quartier la liquidation du monde se poursuit
Sans interruption
Sans égarement

Essaime la poussière
Nul ne décélera votre union.

Fureur et Mystère
(1938-1947)

CONGÉ AU VENT

A flancs de côteau du village bivouaquent des champs fournis de mimosas. A l'époque de la cueillette, il arrive que, loin de leur endroit, on fasse la rencontre extrêmement odorante d'une fille dont les bras se sont occupés durant la journée aux fragiles branches. Pareille à une lampe dont l'auréole de clarté serait de parfum, elle s'en va, le dos tourné au soleil couchant.

Il serait sacrilège de lui adresser la parole.

L'espadrille foulant l'herbe, cédez-lui le pas du chemin. Peut-être aurez-vous la chance de distinguer sur ses lèvres la chimère de l'humidité de la Nuit?

Seuls demeurent

PAR LA BOUCHE DE L'ENGOULEVENT
(1939)

Enfants qui cribliez d'olives le soleil enfoncé dans le bois de la mer, enfants, ô frondes de froment, de vous l'étranger se détourne, se détourne de votre sang martyrisé, se détourne de cette eau trop pure, enfants aux yeux de limon, enfants qui faisiez chanter le sel à votre oreille, comment se résoudre à ne plus s'éblouir de votre amitié ? Le ciel dont vous disiez le duvet, la Femme dont vous trahissiez le désir, la foudre les a glacés.

Châtiments ! Châtiments !

Seuls demeurent

EVADNE

L'été et notre vie étions d'un seul tenant
La campagne mangeait la couleur de ta jupe odorante
Avidité et contrainte s'étaient réconciliées
Le château de Maubec s'enfonçait dans l'argile
Bientôt s'effondrerait le roulis de sa lyre
La violence des plantes nous faisait vaciller
Un corbeau rameur sombre déviant de l'escadre
Sur le muet silex de midi écartelé
Accompagnait notre entente aux mouvements tendres
La faucille partout devait se reposer
Notre rareté commençait un règne
(Le vent insomnieux qui nous ride la paupière
En tournant chaque nuit la page consentie
Veut que chaque part de toi que je retienne
Soit étendue à un pays d'âge affamé et de larmier géant)

C'était au début d'adorables années
La terre nous aimait un peu je me souviens.

Seuls demeurent

MARTHE

Marthe que ces vieux murs ne peuvent pas s'approprier, fontaine où se mire ma monarchie solitaire, comment pourrais-je jamais vous oublier puisque je n'ai pas à me souvenir de vous : vous êtes le présent qui s'accumule. Nous nous unirons sans avoir à nous aborder, à nous prévoir comme deux pavots font en amour une anémone géante.

Je n'entrerai pas dans votre cœur pour limiter sa mémoire. Je ne retiendrai pas votre bouche pour l'empêcher de s'entr'ouvrir sur le bleu de l'air et la soif de partir. Je veux être pour vous la liberté et le vent de la vie qui passe le seuil de toujours avant que la nuit ne devienne introuvable.

Le Poème pulvérisé

La Parole en archipel
(1952-1960)

LE TAUREAU

Il ne fait jamais nuit quand tu meurs,
Cerné de ténèbres qui crient,
Soleil aux deux pointes semblables.

Fauve d'amour, vérité dans l'épée,
Couple qui se poignarde unique parmi tous.

L'ALOUETTE

Extrême braise du ciel et première ardeur du jour,
Elle reste sertie dans l'aurore et chante la terre agitée,
Carillon maître de son haleine et libre de sa route.

Fascinante, on la tue en l'émerveillant.

Le Nu perdu
(1964-1975)

Où passer nos jours à présent?

Parmi les éclats incessants de la hache devenue folle à son tour?

Demeurons dans la pluie giboyeuse et nouons notre souffle à elle. Là, nous ne souffrirons plus rupture, dessèchement ni agonie; nous ne sèmerons plus devant nous notre contradiction renouvelée, nous ne sécréterons plus la vacance où s'engouffrait la pensée, mais nous maintiendrons ensemble sous l'orage à jamais habitué, nous offrirons à sa brouillonne fertilité, les puissants termes ennemis, afin que buvant à des sources grossies ils se fondent en un inexplicable limon.

Dans la pluie giboyeuse
(1968)

BUVEUSE

Pourquoi délivrer encore les mots de l'avenir de soi maintenant que toute parole vers le haut est bouche de fusée jappante, que le cœur de ce qui respire est chute de puanteur?

Afin de t'écrier dans un souffle: «D'où venez-vous, buveuse, sœur aux ongles brûlés? Et qui contentez-vous? Vous ne fûtes jamais au gîte parmi vos épis. Ma faux le jure. Je ne vous dénoncerai pas, je vous précède.»

Dans la pluie giboyeuse

D'UN MÊME LIEN

Atome égaré, arbrisseau,
Tu grandis, j'ai droit de parcours.
A l'enseigne du pré qui boit,
Peu instruits nous goûtions, enfants,
De pures clartés matinales.
L'amour qui prophétisa
Convie le feu à tout reprendre.

O fruit envolé de l'érable
Ton futur est un autrefois.
Tes ailes sont flammes défuntes,
Leur morfil amère rosée.
Vient la pluie de résurrection !
Nous vivons, nous, de ce loisir,
Lune et soleil, frein ou fouet,
Dans un ordre halluciné.

Dans la pluie giboyeuse

PAUVRETÉ ET PRIVILÈGE

LA LETTRE HORS COMMERCE

A André Breton.

Mon cher André,

Je te remercie de m'avoir adressé tes projets d'Exposition. J'ai lu longuement les réalisations que tu te proposes. Je te souhaite d'atteindre profondément le but, à la fois « aube et crépuscule de tous les instants » que seul tu es à même de promouvoir, avec Duchamp, ce distillateur des Écritures, à tes côtés.

Où en suis-je aujourd'hui ? Je ne sais au juste. J'ai de la difficulté à me reconnaître sur le fil des évidences dont je suis l'interné et le témoin, l'écuyer et le cheval. Ce n'est pas moi qui ai simplifié les choses, mais les choses horribles m'ont rendu simple, plus apte à faire confiance à certains, au fond desquels subsistent, tenaces, les feux mourants de la recherche et de la dignité humaine (cette dignité si mal réalisable dans l'action, et dans cet état hybride qui lui succède) ailleurs déjà anéantis et balayés, méprisés et niés. La permission de disposer, accordée à l'homme, ne peut être qu'infinie, bien que notre liberté se passe à l'intérieur de quelque chose dont la surface n'est pas libre, de quelque chose qui est conditionné. Pourvu que l'exigence majeure, la permanence souveraine ne soit pas menacée de destruction et de bannissement, comme ce fut le cas, par les religions (à un degré moindre) puis par l'hitlérisme (jusqu'à la frénésie), demain peut-être par le brûlot policier du communisme, je ne condamne pas une vraie controverse attentive. Mais gardons-nous du sentimentalisme politique autant que de son grossier contraire. C'est te dire que si certains prodiges ont cessé de compter pour moi, je n'en défends pas moins, de toute mon énergie, le droit de s'affirmer prodigieux. Je ne serai jamais assez loin, assez perdu dans mon indépendance ou son illusion, pour avoir le cœur de ne plus aimer les fortes têtes désobéissantes qui descendent au fond du cratère, sans se soucier des appels du bord. Ma part la plus active est devenue... l'absence. Je ne suis plus guère présent que par l'amour, l'insoumission, et le grand toit de la mémoire. Nulle littérature dans cet aveu. Nulle ambiguïté. Nul dandysme. Peux-tu sentir cela ? La transvaluation est accomplie. L'agneau « mystique » est un renard, le renard un sanglier et le sanglier cet enfant à sa marelle. Ce juron, quand je parle de l'espoir, c'est un bien que je ne possède plus, mais il me plaît qu'il existe chez d'autres. De l'événement à sa relation, quel pas ! N'ayant rien à contempler (cela m'ennuie), je me tends et me détends dans l'encoignure des braises. Si j'ai tant de respect pour la vulnérabilité et la faiblesse, l'anxiété et l'angoisse, c'est parce que les premières n'ont pas de pouvoir sur moi, dans la mesure où les secondes m'ont formé et m'ont nourri.

Je ne peux pas aimer deux fois le même objet. Je suis pour l'hétérogénéité la plus étendue. Que l'homme se débrouille avec les nombres que les dés lui ont consentis. Du moment qu'un élan les lui a donnés, pour peu qu'il interroge et se risque, un élan les lui reprendra ; et lui, sans doute, avec, sera repris, donc augmenté. Le vrai secours vient dans la vague.

Tu peux faire figurer à cette Exposition « qui je fus » en 1930-1934. Je puis dire en quelques lignes, si tu le désires, mon affection durable pour ce grand moment de ma vie qui ne connut jamais d'adieu, seulement les mutations conformes à notre nature et au temps. Rien de banal entre nous. Nous avons su et saurons toujours nous retrouver côte à côte, à la seconde excessive de l'essentiel. Notre particularité consiste à n'être indésirables qu'en fonction de notre refus de signer le dernier feuillet, celui de l'apaisement. Celui-ci s'arrache — ou nous est enlevé.

Recherche de la base et du sommet
(1947)

nous du sentimentalisme politique autant que de son grossier contraire. C'est le dire que si certains prodiges ont cessé de compter pour moi, je n'en défends pas moins, de toute mon énergie, le droit de s'affirmer prodigieux. Je ne serai jamais assez loin, assez perdu dans mon indépendance ou son illusion, pour avoir le cœur de ne plus aimer les fortes têtes désobéissantes qui descendent au fond du cratère, sans se soucier des appels du bord. Ma part la plus active est devenue... l'absence. Je ne suis plus guère présent que par l'amour, l'insoumission, et le grand toit de la mémoire. Nulle littérature dans cet aveu. Nulle ambiguïté. Nul dandysme. Peux-tu sentir cela? La transvaluation est accomplie. L'agneau « mystique » est un renard, le renard un sanglier et le sanglier cet enfant à sa mamelle. Ce juron, quand je parle de l'espoir, c'est un bien que je ne possède plus, mais il me plaît qu'il existe chez d'autres. De l'événement à sa relation, quel pas! N'ayant rien à contempler (cela m'ennuie), je me tends et me détends dans l'encoignure des brumes. Si j'ai tant de respect pour la vulnérabilité et la faiblesse, l'anxiété et l'angoisse, c'est parce que les premières n'ont pas de pouvoir sur moi, dans la mesure où les secondes m'ont formé et m'ont nourri.

Je ne peux pas aimer deux fois le même objet. Je suis pour l'hétérogénéité la plus étendue. Que l'homme se débrouille avec les nombres que les dés lui ont consentis. Du moment qu'un élan les lui a donnés, pour peu qu'il interroge et se risque, un élan lui reprendra; et lui, sans doute, avec, sera repris, donc augmenté. Le vrai secours vient dans la vague.

Tu peux faire figurer à cette Exposition, qui je fus - en 1930-1934, depuis en quelques lignes, si tu le désires, mon affection durable pour ce grand moment de ma vie que ne connut jamais d'adieu, seulement les mutations conformes à notre nature et au temps. Rien de banal entre nous. Nous avons su et saurons toujours nous retrouver côte à côte, à la seconde excessive de l'essentiel. Notre particularité consiste à n'être industrieux que en fonction de notre refus de signer le dernier feuillet, celui de l'apaisement. Celui-ci s'arrache - ou nous est enlevé.

ANDRÉ CHÉNIER

1762-1794

LA JEUNE LOCRIENNE

« Fuis, ne me livre point. Pars avant son retour ;
Lève-toi, pars, adieu ; qu'il n'entre, et que ta vue
Ne cause un grand malheur, et je serais perdue.
Tiens, regarde, adieu, pars, ne vois-tu pas le jour ? »

NÉAERE

Mais telle qu'à sa mort pour la dernière fois
Un beau cygne soupire, et de sa douce voix,
De sa voix qui bientôt lui doit être ravie,
Chante, avant de partir, ses adieux à la vie :
Ainsi, les yeux remplis de langueur et de mort,
Pâle, elle ouvrit sa bouche en un dernier effort.
« O vous, du Sébethus Naïades vagabondes,
Coupez sur mon tombeau vos chevelures blondes.
Adieu, mon Clinias ; moi, celle qui te plus,
Moi, celle qui t'aimai, que tu ne verras plus.
O cieux, ô terre, ô mer, prés, montagnes, rivages,
Fleurs, bois mélodieux, vallons, grottes sauvages,
Rappelez-lui souvent, rappelez-lui toujours
Cette Néaere, hélas ! qu'il nommait sa Néaere,
Qui pour lui criminelle abandonna sa mère ;
Qui pour lui fugitive, errant de lieux en lieux,
Aux regards des humains n'osa lever les yeux.
O ! soit que l'astre pur des deux frères d'Hélène
Calme sous ton vaisseau la vague ionienne ;
Soit qu'aux bords de Poestum, sous ta soigneuse main,
Les roses deux fois l'an couronnent ton jardin,
Au coucher du soleil, si ton âme attendrie
Tombe en une muette et molle rêverie,
Alors, mon Clinias, appelle, appelle-moi.

Je viendrai, Clinias, je volerai vers toi.
Mon âme vagabonde à travers le feuillage
Frémira. Sur les vents ou sur quelque nuage
Tu la verras descendre, ou du sein de la mer,
S'élevant comme un songe, étinceler dans l'air ;
Et ma voix, toujours tendre et doucement plaintive,
Caresser en fuyant ton oreille attentive. »

LA JEUNE TARENTINE

Pleurez, doux alcyons, ô vous, oiseaux sacrés,
Oiseaux chers à Thétis, doux alcyons, pleurez.
Elle a vécu, Myrto, la jeune Tarentine.
Un vaisseau la portait aux bords de Camarine.
Là l'hymen, les chansons, les flûtes, lentement,
Devaient la reconduire au seuil de son amant.
Une clef vigilante a pour cette journée
Dans le cèdre enfermé sa robe d'hyménée
Et l'or dont au festin ses bras seraient parés
Et pour ses blonds cheveux les parfums préparés.
Mais, seule sur la proue, invoquant les étoiles,
Le vent impétueux qui soufflait dans les voiles
L'enveloppe. Étonnée, et loin des matelots,
Elle crie, elle tombe, elle est au sein des flots.
Elle est au sein des flots, la jeune Tarentine.
Son beau corps a roulé sous la vague marine.
Thétis, les yeux en pleurs, dans le creux d'un rocher
Aux monstres dévorants eut soin de le cacher.
Par ses ordres bientôt les belles Néréides
L'élèvent au-dessus des demeures humides,
Le portent au rivage, et dans ce monument
L'ont, au cap du Zéphir, déposé mollement.
Puis de loin à grands cris appelant leurs compagnes,
Et les Nymphes des bois, des sources, des montagnes,

Toutes frappant leur sein, et traînant un long deuil,
Répétèrent : « Hélas ! » autour de son cercueil.
Hélas ! chez ton amant tu n'es point ramenée.
Tu n'as point revêtu ta robe d'hyménée.
L'or autour de tes bras n'a point serré de nœuds.
Les doux parfums n'ont point coulé sur tes cheveux.

Élégies

AUJOURD'HUI QU'AU TOMBEAU
JE SUIS PRÊT A DESCENDRE

. . . .

Je meurs. Avant le soir j'ai fini ma journée.
A peine ouverte au jour, ma rose s'est fanée.
La vie eut bien pour moi de volages douceurs ;
Je les goûtais à peine, et voilà que je meurs.
Mais, oh ! que mollement reposera ma cendre,
Si parfois un penchant impérieux et tendre
Vous guidant vers la tombe où je suis endormi
Vos yeux en approchant pensent voir leur ami !
Si vos chants de mes feux vont redisant l'histoire ;
Si vos discours flatteurs, tout pleins de ma mémoire,
Inspirent à vos fils, qui ne m'ont point connu,
L'ennui de naître à peine et de m'avoir perdu.
Qu'à votre belle vie ainsi ma mort obtienne
Tout l'âge, tous les biens dérobés à la mienne ;
Que jamais les douleurs, par de cruels combats,
N'allument dans vos flancs un pénible trépas ;
Que la joie en vos cœurs ignore les alarmes ;
Que les peines d'autrui causent seules vos larmes ;
Que vos heureux destins, les délices du ciel,
Coulent toujours trempés d'ambroisie et de miel,
Et non sans quelque amour paisible et mutuelle.
Et quand la mort viendra, qu'une amante fidèle,
Près de vous désolée, en accusant les Dieux
Pleure, et veuille vous suivre, et vous ferme les yeux.

LA JEUNE CAPTIVE

« L'épi naissant mûrit de la faux respecté ;
Sans crainte du pressoir, le pampre tout l'été
    Boit les doux présents de l'aurore ;
Et moi, comme lui belle, et jeune comme lui,
Quoi que l'heure présente ait de trouble et d'ennui,
    Je ne veux point mourir encore.

Qu'un stoïque aux yeux secs vole embrasser la mort :
Moi je pleure et j'espère. Au noir souffle du nord
    Je plie et relève ma tête.
S'il est des jours amers, il en est de si doux !
Hélas ! quel miel jamais n'a laissé de dégoûts ?
    Quelle mer n'a point de tempête ?

. . . .

Mon beau voyage encore est si loin de sa fin !
Je pars, et des ormeaux qui bordent le chemin
    J'ai passé les premiers à peine,
Au banquet de la vie à peine commencé,
Un instant seulement mes lèvres ont pressé
    La coupe en mes mains encore pleine.

Je ne suis qu'au printemps, je veux voir la moisson,
Et comme le soleil, de saison en saison,
  Je veux achever mon année.
Brillante sur ma tige et l'honneur du jardin,
Je n'ai vu luire encor que les feux du matin;
  Je veux achever ma journée.

O mort! tu peux attendre; éloigne, éloigne-toi;
Va consoler les cœurs que la honte, l'effroi,
  Le pâle désespoir dévore.
Pour moi Palès encore a des asiles verts,
Les Amours des baisers, les Muses des concerts.
  Je ne veux point mourir encore.»

Ainsi, triste et captif, ma lyre toutefois
S'éveillait, écoutant ces plaintes, cette voix,
  Ces vœux d'une jeune captive;
Et secouant le faix de mes jours languissants,
Aux douces lois des vers je pliai les accents
  De sa bouche aimable et naïve.

Ces chants, de ma prison témoins harmonieux,
Feront à quelque amant des loisirs studieux
  Chercher quelle fut cette belle.
La grâce décorait son front et ses discours,
Et comme elle craindront de voir finir leurs jours
  Ceux qui les passeront près d'elle.

IAMBES

Comme un dernier rayon, comme un dernier zéphyr
    Animent la fin d'un beau jour,
Au pied de l'échafaud j'essaye encor ma lyre.
    Peut-être est-ce bientôt mon tour.
Peut-être avant que l'heure en cercle promenée
    Ait posé sur l'émail brillant,
Dans les soixante pas où sa route est bornée
    Son pied sonore et vigilant ;
Le sommeil du tombeau pressera ma paupière.
    Avant que de ses deux moitiés
Ce vers que je commence ait atteint la dernière,
    Peut-être en ces murs effrayés
Le messager de mort, noir recruteur des ombres,
    Escorté d'infâmes soldats,
Ébranlant de mon nom ces longs corridors sombres,
    Où seul dans la foule à grands pas
J'erre, aiguisant ces dards persécuteurs du crime,
    Du juste trop faibles soutiens,
Sur mes lèvres soudain va suspendre la rime ;
    Et chargeant mes bras de liens,
Me traîner, amassant en foule à mon passage
    Mes tristes compagnons reclus,
Qui me connaissaient tous avant l'affreux message,
    Mais qui ne me connaissent plus.

. . . .

Comme la poix brûlante agitée en ses veines
    Ressuscite un flambeau mourant,
Je souffre; mais je vis. Par vous, loin de mes peines,
    D'espérance un vaste torrent
Me transporte. Sans vous, comme un poison livide,
    L'invisible dent du chagrin,
Mes amis opprimés, du menteur homicide
    Les succès, le sceptre d'airain;
Des bons proscrits par lui la mort ou la ruine,
    L'opprobre de subir sa loi,
Tout eût tari ma vie; ou contre ma poitrine
    Dirigé mon poignard. Mais quoi!
Nul ne resterait donc pour attendrir l'histoire
    Sur tant de justes massacrés?
Pour consoler leurs fils, leurs veuves, leur mémoire,
    Pour que des brigands abhorrés
Frémissent aux portraits noirs de leur ressemblance,
    Pour descendre jusqu'aux enfers
Nouer le triple fouet, le fouet de la vengeance
    Déjà levé sur ces pervers?
Pour cracher sur leurs noms, pour chanter leur supplice?
    Allons, étouffe tes clameurs;
Souffre, ô cœur gros de haine, affamé de justice.
    Toi, Vertu, pleure si je meurs.

GEORGES CHENNEVIÈRE

1884-1927

L'ÉTRANGER

Étranger, ne te rendors pas,
Ce n'est pas encor le retour.
Ne t'attache pas à ces choses,
Ne demeure pas devant elles.
Ne laisse pas les souvenirs
Monter en eau à tes paupières.

Cette fleur, ne la cueille point,
Ne prolonge pas ce baiser,
Ne garde rien entre tes mains.
Ne fais rien qui puisse durer.
Ton cœur se viderait d'un coup.
Vite, vite, il faut repartir.

Je repars, sans être venu.
Est-ce l'adieu définitif?
Le monde glisse sous mes pas.
Je sens que je n'aurais pas dû
Hélas, regarder si longtemps
       Tous ces visages.

Poèmes
(1911-1918)

L'ÉTRANGER

Etranger, ne te rendors pas,
Ce n'est pas encor le retour.
Ne t'attache pas à ces choses,
Ne demeure pas devant elles,
Ne laisse pas les souvenirs
Monter en eau à tes paupières.

Cette fleur, ne la cueille point,
Ne prolonge pas ce baiser,
Ne garde rien entre les mains,
Ne fais rien qui puisse durer,
Ton cœur se viderait d'un coup,
Vite, vite, il faut repartir.

Je repars, sans être venu.
Est-ce l'adieu définitif?
Le monde glisse sous mes pas...
Je sens que je n'aurais pas dû
Hélas! regarder si longtemps
Tous ces visages.

TRISTAN CORBIÈRE

1845-1875

Les Amours jaunes
(1873)

A LA MÉMOIRE DE ZULMA
VIERGE FOLLE HORS BARRIÈRE
ET D'UN LOUIS

Bougival, 8 mai.

Elle était riche de vingt ans,
Moi j'étais jeune de vingt francs,
Et nous fîmes bourse commune,
Placée, à fonds perdu, dans une
Infidèle nuit de printemps...

La lune a fait un trou dedans,
Rond comme un écu de cinq francs
Par où passa notre fortune :
Vingt ans ! vingt francs !... et puis la lune !

— En monnaie — hélas — les vingt francs !
En monnaie aussi les vingt ans !
Toujours de trous en trous de lune,
Et de bourse en bourse commune...
— C'est à peu près même fortune !

. . . . [1]

---

1. Les points de suspension ne correspondent pas ici à des coupures, ils ont été placés par Corbière.

— Je la trouvai — bien des printemps,
Bien des vingt ans, bien des vingt francs,
Bien des trous et bien de la lune
Après — Toujours vierge et vingt ans,
Et... colonelle à la Commune !

. . . .

— Puis après : la chasse aux passants,
Aux vingt sols, et plus aux vingt francs...
Puis après : la fosse commune,
Nuit gratuite sans trou de lune.

Saint-Cloud
(Novembre)

BONSOIR

Et vous viendrez alors, imbécile caillette,
Taper dans ce miroir clignant qui se paillette
D'un éclis [1] d'or, accroc de l'astre jaune, éteint.
Vous verrez un bijou dans cet éclat de tain.

Vous viendrez à cet homme, à son reflet mièvre
Sans chaleur... Mais, au jour qu'il dardait la fièvre,
Vous n'avez rien senti, vous qui — midi passé —
Tombez dans ce rayon tombant qu'il a laissé.

Lui ne vous connaît plus, Vous, l'Ombre déjà vue,
Vous qu'il avait couchée en son ciel toute nue,
Quand il était un Dieu !... Tout cela — n'en faut plus.—

Croyez — Mais lui n'a plus ce mirage qui leurre.
Pleurez — Mais il n'a plus cette corde qui pleure.
Ses chants... — C'était d'un autre ; il ne les a pas lus.

---

1. *Éclis* est un « hapax », c'est-à-dire un mot qu'on ne rencontre nulle part ailleurs
dans la littérature française. Sans doute, pour Corbière, synonyme d'*éclair*.

BONSOIR

Et vous viendrez alors, imbécile caillette,
Taper dans ce miroir clignant qui se paillette
D'un éclat d'or, accroc de l'astre jaune, éteint.
Vous verrez un bijou dans cet éclat de faim.

Vous viendrez à cet homme, à son reflet mièvre
Sans chaleur... Mais, au jour qu'il durait la fièvre,
Vous n'avez rien senti, vous qui — midi passé —
Tombez dans ce rayon tombant qu'il a laissé.

Lui ne vous connaît plus, Vous, l'Ombre déjà vue,
Vous qu'il avait couchée en son ciel toute nue,
Quand il était un Dieu !... Tout cela — n'en faut plus —

Croyez — Mais lui n'a plus ce mirage qui leurre,
Pleurez — Mais il n'a plus cette corde qui pleure.
Ses chants ?... — C'était d'un autre ; il ne les a pas lus.

1. *Ev는 est un — lupax* : c'est-à-dire un mot qu'on ne réclame nulle part ailleurs dans la littérature française. Sans doute, pour Corbière, synonyme d'éclat.

ARTHUR CRAVAN

1887-1920

MAINTENANT

HIE !

Quelle âme se disputera mon corps ?
J'entends la musique :
Serai-je entraîné ?
J'aime tellement la danse
Et les folies physiques
Que je sens avec évidence
Que, si j'avais été jeune fille,
J'eusse mal tourné.
Mais, depuis que me voilà plongé
Dans la lecture de cet illustré
Je jurerai n'avoir vu de ma vie
D'aussi féeriques photographies :
L'océan paresseux berçant les cheminées,
Je vois dans le port, sur le pont des vapeurs,
Parmi des marchandises indéterminées,
Les matelots se mêler aux chauffeurs ;
Des corps polis comme des machines,
Mille objets de la Chine,
Les modes, et les inventions ;
Puis, prêts à traverser la ville,
Dans la douceur des automobiles,
Les poètes et les boxeurs,

Ce soir, quelle est ma méprise,
Qu'avec tant de tristesse,
Tout me semble beau ?
L'argent qui est réel,
La paix, les vastes entreprises,
Les autobus et les tombeaux ;
Les champs, le sport, les maîtresses,
Jusqu'à la vie inimitable des hôtels
Je voudrais être à Vienne et à Calcutta,
Prendre tous les trains et tous les navires,
Forniquer toutes les femmes et bâfrer tous les plats.
Mondain, chimiste, putain, ivrogne, musicien, ouvrier, peintre,
                                [acrobate, acteur,
Vieillard, enfant, escroc, voyou, ange, et noceur,
Millionnaire, bourgeois, cactus, girafe ou corbeau ;
Lâche, héros, nègre, singe, don Juan, souteneur, lord, paysan,
                                [chasseur, industriel,
Faune et flore.
Je suis toutes les choses, tous les hommes, et tous les animaux !
Que faire ?
Essayons du grand air,
Peut-être y pourrai-je quitter
Ma funeste pluralité !
Et tandis que la lune,
Par-delà les marronniers,
Attelle ses lévriers,
Et, qu'ainsi qu'en un kaléidoscope,
Mes abstractions
Élaborent les variations
Des accords
De mon corps,
Que mes doigts collés
Au délice de mes clés
Absorbent de fraîches syncopes,
Sous des motions immortelles
Vibrent mes bretelles ;
Et, piéton idéal
Du Palais-Royal,

Je m'enivre avec candeur
Même des mauvaises odeurs.
Plein d'un mélange
D'éléphant et d'ange
Mon lecteur, je balade sous la lune
Ta future infortune.
Armée de tant d'algèbre,
Que, sans désirs sensuels,
J'entrevois, fumoir du baiser.
Con, pipe, eau, Afrique et repos funèbre,
Derrière les stores apaisés,
Le calme des bordels.
Du baume, ô ma raison!
Tout Paris est atroce et je hais ma maison.
Déjà les cafés sont noirs.
Il ne reste, ô mes hystéries!
Que les claires écuries
Des urinoirs.
Je ne puis plus rester dehors.
Voici ton lit; sois bête et dors.
Mais, dernier des locataires,
Qui se gratte tristement les pieds,
Et, bien que tombant à moitié,
Si j'entendais sur la terre
Retentir les locomotives,
Que mes âmes pourtant redeviendraient attentives!

(1912)

Je m'enivre avec candeur
Même des mauvaises odeurs
Plein d'un mélange
D'éléphant et d'ange
Mon lecteur, je balade sous la lune
Ta future infortune
Armée de tant d'aléchés,
Que, sans désirs sensuels,
L'entrevois, fumoir du baiser,
Con, pipe, eau, Afrique et repos funèbre,
Derrière les stores épaissis,
Le calme des bordels,
Du bitume, ô ma raison!
Tout Paris est amorcé et je hais ma maison;
Déjà les cafés sont noirs
Il ne reste, ô mes hystéries!
Que les claires écuries
Des urinoirs.
Je ne puis plus rester debout,
Voici ton lit; sois bête et doux,
Mais, dernier des canailles,
Qui se gratte tristement les pieds,
Et, bien que tombant à moitié,
Si j'entendais, sur la terre
Rebondir les locomotives,
Que mes âmes pourtant redeviendraient attentives!

(1912)

CHARLES CROS

1842-1888

Le Coffret de santal
(1873)

PLAINTE

Vrai sauvage égaré dans la ville de pierre,
A la clarté du gaz je végète et je meurs.
Mais vous vous y plaisez, et vos regards charmeurs
M'attirent à la mort, parisienne fière.

Je rêve de passer ma vie en quelque coin
Sous les bois verts ou sur les monts aromatiques,
En Orient, ou bien près du pôle, très loin,
Loin des journaux, de la cohue et des boutiques.

Mais vous aimez la foule et les éclats de voix,
Le bal de l'Opéra, le gaz et la réclame.
Moi, j'oublie, à vous voir, les rochers et les bois,
Je me tue à vouloir me civiliser l'âme.

Je vous ennuie à vous le dire si souvent :
Je mourrai, papillon brûlé, si cela dure...
Vous feriez bien pourtant, vos cheveux noirs au vent,
En clair peignoir ruché, sur un fond de verdure.

LE HARENG SAUR

A Guy.

Il était un grand mur blanc — nu, nu, nu,
Contre le mur une échelle — haute, haute, haute,
Et, par terre, un hareng saur — sec, sec, sec.

Il vient, tenant dans ses mains — sales, sales, sales,
Un marteau lourd, un grand clou — pointu, pointu, pointu,
Un peloton de ficelle — gros, gros, gros.

Alors il monte à l'échelle — haute, haute, haute,
Et plante le clou pointu — toc, toc, toc,
Tout en haut du grand mur blanc — nu, nu, nu.

Il laisse aller le marteau — qui tombe, qui tombe, qui tombe,
Attache au clou la ficelle — longue, longue, longue,
Et, au bout, le hareng saur — sec, sec, sec.

Il redescend de l'échelle — haute, haute, haute,
L'emporte avec le marteau — lourd, lourd, lourd;
Et puis, il s'en va ailleurs — loin, loin, loin.

Et, depuis, le hareng saur — sec, sec, sec,
Au bout de cette ficelle — longue, longue, longue,
Très lentement se balance — toujours, toujours, toujours.

J'ai composé cette histoire, — simple, simple, simple,
Pour mettre en fureur les gens — graves, graves, graves,
Et amuser les enfants — petits, petits, petits.

VOCATION

A Étienne Carjat.

Jeune fille du caboulot,
De quel pays es-tu venue
Pour étaler ta gorge nue
Aux yeux du public idiot?

Jeune fille du caboulot,
Il te déplaisait au village
De voir meurtrir, dans le bel âge
Ton pied mignon par un sabot.

Jeune fille du caboulot,
Tu ne pouvais souffrir Nicaise,
Ni les canards qu'encor niaise
Tu menais barboter dans l'eau.

Jeune fille du caboulot,
Ne penses-tu plus à ta mère,
A la charrue, à ta chaumière?...
Tu ne ris pas à ce tableau.

Jeune fille du caboulot,
Tu préfères à la charrue
Écouter les bruits de la rue
Et nous verser l'absinthe à flot.

Jeune fille du caboulot,
Ta mine rougeaude était sotte,
Je t'aime mieux ainsi, pâlotte,
Les yeux cernés d'un bleu halo.

Jeune fille du caboulot,
Dit un sermonneur qui t'en blâme,
Tu t'ornes le corps plus que l'âme,
Vers l'enfer tu cours au galop.

Jeune fille du caboulot,
Que dire à cet homme qui plaide
Qu'il faut, pour bien vivre, être laide,
Lessiver et se coucher tôt?

Jeune fille du caboulot,
Laisse crier et continue
A charmer de ta gorge nue
Les yeux du public idiot.

CHARLES CROS

Le Collier de griffes
(1908) [1]

HIÉROGLYPHE

J'ai trois fenêtres à ma chambre :
    L'amour, la mer, la mort,
Sang vif, vert calme, violet.

O femme, doux et lourd trésor !

Froids vitraux, cloches, odeurs d'ambre.
    La mer, la mort, l'amour,
Ne sentir que ce qui me plaît...

Femme, plus claire que le jour !

Par ce soir doré de septembre,
    La mort, l'amour, la mer,
Me noyer dans l'oubli complet.

Femme ! femme ! cercueil de chair !

---

1. Édition originale posthume.

TRISTAN DERÈME

1889-1941

L'extrait de Tristan Derème qui suit est reproduit
avec l'autorisation de monsieur Philippe Gautraud.

Je dirai pour l'instruction des biographes
Que ton corsage avait quarante-deux agrafes,
Que dans tes bras toute la nuit j'étais inclus,
Que c'était le bon temps, que je ne quittais plus
Ta chambre qu'embaumait un pot d'héliotrope
Duhamel animait son héroïque Anthrope,
Pellerin habitait Pontcharra et Carco
49, quai de Bourbon, Paris. Jusqu'au
Matin je caressais tes jambes et ta gorge.
Tu lisais Chantecler et le Maître de Forges ;
Tu ignorais Laforgue estimant qu'avec art
Écrivaient seulement Botrel et Jean Aicard.
Mais au bord du Viaur embelli de ses rêves
Frêne, pâle et barbu, méditait sur les Sèves,
Et Deubel, revêtu des velours cramoisis,
Publiant au Beffroi ses Poèmes choisis,
Déchaînait dans les airs le tumulte des cuivres.

Et j'aimais beaucoup moins tes lèvres que mes livres.

La verdure dorée

MARCELINE DESBORDES-VALMORE

1785-1859

LA PROMENADE D'AUTOMNE

Te souvient-il, ô mon âme, ô ma vie,
D'un jour d'automne et pâle et languissant?
Il semblait dire un adieu gémissant
Aux bois qu'il attristait de sa mélancolie.
Les oiseaux dans les airs ne chantaient plus l'espoir;
Une froide rosée enveloppait leurs ailes,
Et, rappelant au nid leurs compagnes fidèles,
Sur des rameaux sans fleurs ils attendaient le soir.

Seule, je m'éloignais d'une fête bruyante,
Je fuyais tes regards, je cherchais ma raison.
Mais la langueur des champs, leur tristesse attrayante,
A ma langueur secrète ajoutaient leur poison.
Sans but et sans espoir, suivant ma rêverie,
Je portais au hasard un pas timide et lent;
L'Amour m'enveloppa de ton ombre chérie,
Et, malgré la saison, l'air me parut brûlant.

Je voulais, mais en vain, par un effort suprême,
En me sauvant de toi, me sauver de moi-même.
Mon œil voilé de pleurs, à la terre attaché,
Par un charme invincible en fut comme arraché.
A travers les brouillards, une image légère
Fit palpiter mon sein de tendresse et d'effroi;

Le soleil reparaît, l'environne, l'éclaire,
Il entr'ouvre les cieux… Tu parus devant moi.
Je n'osai te parler; interdite, rêveuse,
Enchaînée et soumise à ce trouble enchanteur,
Je n'osai te parler : pourtant j'étais heureuse;
Je devinai ton âme, et j'entendis mon cœur.

   Mais quand ta main pressa ma main tremblante,
Quand un frisson léger fit tressaillir mon corps,
Quand mon front se couvrit d'une rougeur brûlante,
   Dieu! qu'est-ce donc que je sentis alors?
J'oubliai de te fuir, j'oubliai de te craindre;
Pour la première fois ta bouche osa se plaindre,
Ma douleur à la tienne osa se révéler,
Et mon âme vers toi fut prête à s'exhaler!
Il m'en souvient! T'en souvient-il, ma vie,
   De ce tourment delicieux,
De ces mots arrachés à ta mélancolie :
   « Ah! si je souffre, on souffre aux cieux! »

Des bois nul autre aveu ne troubla le silence.
Ce jour fut de nos jours le plus beau, le plus doux;
Prêt à s'éteindre enfin il s'arrêta sur nous,
Et sa fuite à mon cœur présagea ton absence!
   L'âme du monde éclaira notre amour;
Je vis ses derniers feux mourir sous un nuage;
Et dans nos cœurs brisés, désunis sans retour,
   Il n'en reste plus que l'image.

LES SÉPARÉS

N'écris pas! Je suis triste, et je voudrais m'éteindre;
Les beaux étés, sans toi, c'est l'amour sans flambeau.
J'ai refermé mes bras qui ne peuvent t'atteindre;
Et, frapper à mon cœur, c'est frapper au tombeau.
                    N'écris pas!

N'écris pas! N'apprenons qu'à mourir à nous-mêmes.
Ne demande qu'à Dieu... qu'à toi si je t'aimais.
Au fond de ton silence écouter que tu m'aimes
C'est entendre le ciel sans y monter jamais.
                    N'écris pas!

N'écris pas! Je te crains; j'ai peur de ma mémoire;
Elle a gardé ta voix qui m'appelle souvent.
Ne montre pas l'eau vive à qui ne peut la boire.
Une chère écriture est un portrait vivant.
                    N'écris pas!

N'écris pas ces deux mots que je n'ose plus lire:
Il semble que ta voix les répand sur mon cœur,
Que je les vois briller à travers ton sourire;
Il semble qu'un baiser les empreint sur mon cœur.
                    N'écris pas!

EUSTACHE DESCHAMPS

1346-1406

ADIEUX A PARIS

Adieu m'amour, adieu douces fillettes,
Adieu Grand Pont, hales, estuves, bains,
Adieu pourpoins, chauces, vestures nettes,
Adieu harnois tant clouez comme plains,
Adieu molz liz, broderie et beaus seins
Adieu dances, adieu qui les hantez,
Adieu connins, perdriz que je reclaims,
Adieu Paris, adieu petiz pastez.

Adieu chapeaulx faiz de toutes flourettes,
Adieu bons vins, ypocras, doulz compains,
Adieu poisson de mer, d'eaues doucettes,
Adieu moustiers ou l'en voit les doulz sains
Dont pluseurs sont maintefoiz chapellains,
Adieu déduit et dames qui chantez !
En Languedoc m'en vois comme contrains :
Adieu Paris, adieu petiz pastez.

Adieu, je suis desor sur espinettes
Car arrebours versera mes estrains,
Je pourrai bien perdre mes amourettes
S'amour change pour estre trop loingtains.
Crotez seray, dessirez et dessains,

Car li pais est detruit et gastez.
Si dirai lors pour reconfort au mains :
Adieu Paris, adieu petiz pastez !

ROBERT DESNOS

1900-1945

A la Mystérieuse
(1926)

J'AI TANT RÊVÉ DE TOI

J'ai tant rêvé de toi que tu perds ta réalité.

Est-il encore temps d'atteindre ce corps vivant et de baiser sur cette bouche la naissance de la voix qui m'est chère?

J'ai tant rêvé de toi que mes bras habitués, en étreignant ton ombre, à se croiser sur ma poitrine ne se plieraient pas au contour de ton corps, peut-être.

Et que, devant l'apparence réelle de ce qui me hante et me gouverne depuis des jours et des années, je deviendrais une ombre sans doute.

O balances sentimentales.

J'ai tant rêvé de toi qu'il n'est plus temps sans doute que je m'éveille. Je dors debout, le corps exposé à toutes les apparences de la vie et de l'amour; et toi, la seule qui compte aujourd'hui pour moi, je pourrais moins toucher ton front et tes lèvres que les premières lèvres et le premier front venus.

J'ai tant rêvé de toi, tant marché, parlé, couché avec ton fantôme qu'il ne me reste plus peut-être, et pourtant, qu'à être fantôme parmi les fantômes et plus ombre cent fois que l'ombre qui se promène et se promènera allégrement sur le cadran solaire de ta vie.

Corps et Biens
(1930)

SI TU SAVAIS

Loin de moi et semblable aux étoiles, à la mer et à tous les
accessoires de la mythologie poétique,
Loin de moi et cependant présente à ton insu,
Loin de moi et plus silencieuse encore parce que je t'ima-
gine sans cesse,
Loin de moi, mon joli mirage et mon rêve éternel, tu ne
peux pas savoir.
Si tu savais.
Loin de moi et peut-être davantage encore de m'ignorer et
m'ignorer encore.
Loin de moi parce que tu ne m'aimes pas sans doute ou, ce
qui revient au même, que j'en doute.
Loin de moi parce que tu ignores sciemment mes désirs
passionnés.
Loin de moi parce que tu es cruelle.
Si tu savais.
Loin de moi, ô joyeuse comme la fleur qui danse dans la
rivière au bout de sa tige aquatique, ô triste comme sept heures
du soir dans les champignonnières.
Loin de moi silencieuse encore ainsi qu'en ma présence et
joyeuse encore comme l'heure en forme de cigogne qui tombe de
haut.
Loin de moi à l'instant où chantent les alambics, à l'instant
où la mer silencieuse et bruyante se replie sur les oreillers
blancs.

Si tu savais.

Loin de moi, ô mon présent tourment, loin de moi au bruit magnifique des coquilles d'huîtres qui se brisent sous le pas du noctambule, au petit jour, quand il passe devant la porte des restaurants.

Si tu savais.

Loin de moi, volontaire et matériel mirage.

Loin de moi, c'est une île qui se détourne au passage des navires.

Loin de moi un calme troupeau de bœufs se trompe de chemin, s'arrête obstinément au bord d'un profond précipice, loin de moi, ô cruelle.

Loin de moi, une étoile filante choit dans la bouteille nocturne du poète. Il met vivement le bouchon et dès lors il guette l'étoile enclose dans le verre, il guette les constellations qui naissent sur les parois, loin de moi, tu est loin de moi.

Si tu savais.

Loin de moi une maison achève d'être construite.

Un maçon en blouse blanche au sommet de l'échafaudage chante une petite chanson très triste et, soudain, dans le récipient empli de mortier apparaît le futur de la maison : les baisers des amants et les suicides à deux et la nudité dans les chambres des belles inconnues et leurs rêves à minuit, et les secrets voluptueux surpris par les lames de parquet.

Loin de moi,

Si tu savais,

Si tu savais comme je t'aime et, bien que tu ne m'aimes pas, comme je suis joyeux, comme je suis robuste et fier de sortir avec ton image en tête, de sortir de l'univers.

Comme je suis joyeux à en mourir.

Si tu savais comme le monde m'est soumis.

Et toi, belle insoumise aussi, comme tu es ma prisonnière.

O toi, loin-de-moi, à qui je suis soumis.

Si tu savais.

Corps et Biens
(1930)

Les Sans Cou
(1934)

LES QUATRE SANS COU

Ils étaient quatre qui n'avaient plus de tête,
Quatre à qui l'on avait coupé le cou,
On les appelait les quatre sans cou.

Quand ils buvaient un verre,
Au café de la place ou du boulevard,
Les garçons n'oubliaient pas d'apporter des entonnoirs.

Quand ils mangeaient, c'était sanglant,
Et tous quatre chantant et sanglotant,
Quand ils aimaient, c'était du sang.

Quand ils couraient, c'était du vent.
Quand ils pleuraient, c'était vivant,
Quand ils dormaient, c'était sans regret.

Quand ils travaillaient, c'était méchant,
Quand ils rôdaient, c'était effrayant,
Quand ils jouaient, c'était différent,

Quand ils jouaient, c'était comme tout le monde,
Comme vous et moi, vous et nous et tous les autres,
Quand ils jouaient, c'était étonnant.

Mais quand ils parlaient, c'était d'amour.
Ils auraient pour un baiser
Donné ce qui leur restait de sang.

Leurs mains avaient des lignes sans nombre
Qui se perdaient parmi les ombres
Comme des rails dans la forêt.

Quand ils s'asseyaient, c'était plus majestueux que des rois
Et les idoles se cachaient derrière leurs croix
Quand devant elles ils passaient droits.

On leur avait rapporté leur tête
Plus de vingt fois, plus de cent fois,
Les ayant retrouvés à la chasse ou dans les fêtes,

Mais jamais ils ne voulurent reprendre
Ces têtes où brillaient leurs yeux,
Où les souvenirs dormaient dans leur cervelle.

Cela ne faisait peut-être pas l'affaire
Des chapeliers et des dentistes.
La gaieté des uns rend les autres tristes.

Les quatre sans cou vivent encore, c'est certain.
J'en connais au moins un
Et peut-être aussi les trois autres.

Le premier, c'est Anatole,
Le second, c'est Croquignole,
Le troisième, c'est Barbemolle,
Le quatrième, c'est encore Anatole.

Je les vois de moins en moins,
Car c'est déprimant, à la fin,
La fréquentation des gens trop malins.

Fortunes
(1942)

*C'est les bottes de 7 lieues
Cette Phrase « je me vois »
(1926)*

LES GORGES FROIDES

A Simone.

A la poste d'hier tu télégraphieras
que nous sommes bien morts avec les hirondelles.
Facteur triste facteur un cercueil sous ton bras
va-t'en porter ma lettre aux fleurs à tire d'elle.

La boussole est en os mon cœur tu t'y fieras.
Quelque tibia marque le pôle et les marelles
pour amputés ont un sinistre aspect d'opéras.
Que pour mon épitaphe un dieu taille ses grêles !

C'est ce soir que je meurs, ma chère Tombe-Issoire,
ton regard le plus beau ne fut qu'un accessoire
de la machinerie étrange du bonjour.

Adieu ! Je vous aimai sans scrupule et sans ruse,
ma Folie-Méricourt, ma silencieuse intruse.
Boussole à flèche torse annonce le retour.

Destinée arbitraire [1]
(1975)

1. Ce recueil réunit des textes soit inédits, soit devenus introuvables et datant de toutes les périodes de l'activité créatrice de Desnos.

État de veille
(1943-1944)

DEMAIN

Agé de cent mille ans, j'aurais encor la force
De t'attendre, ô demain pressenti par l'espoir.
Le temps, vieillard souffrant de multiples entorses,
Peut gémir : le matin est neuf, neuf est le soir.

Mais depuis trop de mois nous vivons à la veille,
Nous veillons, nous gardons la lumière et le feu,
Nous parlons à voix basse et nous tendons l'oreille
A maint bruit vite éteint et perdu comme au jeu.

Or, du fond de la nuit, nous témoignons encore
De la splendeur du jour et de tous ses présents.
Si nous ne dormons pas c'est pour guetter l'aurore
Qui prouvera qu'enfin nous vivons au présent.

Destinée arbitraire

A la caille
(1943-1944)

MARÉCHAL DUCONO [1]

Maréchal Ducono se page avec méfiance,
Il rêve à la rebiffe et il crie au charron
Car il se sent déjà loquedu et marron
Pour avoir arnaqué le populo de France.

S'il peut en écraser, s'étant rempli la panse,
En tant que maréchal à maousse ration,
Peut-il être à la bonne, ayant dans le croupion
Le pronostic des fumerons perdant patience ?

A la péter les vieux et les mignards calenchent,
Les durs bossent à cran et se brossent le manche :
Maréchal Ducono continue à pioncer.

C'est tarte, je t'écoute, à quatre-vingt-six berges,
De se savoir vomi comme fiotte et faux derge
Mais tant pis pour son fade, il aurait dû clamser.

Destinée arbitraire

---

1. Ce sonnet en argot vise le maréchal Pétain, et le suivant vise le chef du gouverne-
ment de Vichy, Pierre Laval.

PETRUS D'AUBERVILLIERS [1]

Parce qu'il est bourré d'aubert et de bectance
L'auverpin mal lavé, le baveux des pourris
Croit-il encore farcir ses boudins par trop rances
Avec le sang des gars qu'on fusille à Paris?

Pas vu? Pas pris! Mais il est vu, donc il est frit,
Le premier bec de gaz servira de potence.
Sans préventive, sans curieux et sans jury
Au demi-sel qui nous a fait payer la danse.

Si sa cravate est blanche [2] elle sera de corde.
Qu'il ait des roustons noirs ou bien qu'il se les morde,
Il lui faudra fourguer son blaze au grand pégal.

Il en bouffe, il en croque, il nous vend, il nous donne
Et à la Kleberstrasse, il attend qu'on le sonne
Mais nous le sonnerons, nous, sans code pénal.

Destinée arbitraire

---

1. Pierre Laval avait été maire d'Aubervilliers.
2. Laval ne portait que des cravates blanches.

PÉTRUS D'AUBERVILLIERS[1]

Parce qu'il est bourré d'aubert et de beziance
L'auvergin mal lavé, le baveux des pourris
Croit-il encore farcir ses boudins par trop rances
Avec le sang des gars qu'on fusille à Paris ?

Pas su ? Pas pris ? Mais il est vu, donc il est frit.
Le premier bec de gaz servira de potence.
Sans préventive, sans curieux et sans jury
Au demi-sel qui nous a fait payer la danse.

Si sa cravate est blanche[2], elle sera de corde ;
Qu'il ait des roustons noirs ou bien qu'il se les morde,
Il lui faudra loupiquer son blaze au grand pépet.

Il en bouffe, il en croque, il nous vend, il nous donne
Et à la Kléberstrasse, il attend qu'on le sonne
Mais nous le sonnerons, nous, sans code pénal.

Destinée arbitraire

---

1. Pierre Laval avait été maire d'Aubervilliers.
2. Laval ne portait que des cravates blanches.

PAUL ÉLUARD

1895-1952

Les extraits de Paul Éluard qui suivent sont reproduits avec l'autorisation des éditions Gallimard.

Capitale de la douleur
(1926)

L'OMBRE AUX SOUPIRS

Sommeil léger, petite hélice,
Petite, tiède, cœur à l'air.
L'amour de prestidigitateur,
Ciel lourd des mains, éclairs des veines,

Courant dans la rue sans couleurs,
Pris dans sa traîne de pavés,
Il lâche le dernier oiseau
De son auréole d'hier
Dans chaque puits, un seul serpent.

Autant rêver d'ouvrir les portes de la mer.

LE SOURD ET L'AVEUGLE

Gagnerons-nous la mer avec des cloches
Dans nos poches, avec le bruit de la mer
Dans la mer, ou bien serons-nous les porteurs
D'une eau plus pure et silencieuse ?

L'eau se frottant les mains aiguise des couteaux.
Les guerriers ont trouvé leurs armes dans les flots
Et le bruit de leurs coups est semblable à celui
Des rochers défonçant dans la nuit les bateaux.

C'est la tempête et le tonnerre. Pourquoi pas le silence
Du déluge, car nous avons en nous tout l'espace rêvé
Pour le plus grand silence et nous respirerons
Comme le vent des mers terribles, comme le vent

Qui rampe lentement sur tous les horizons.

Mourir de ne pas mourir

LEURS YEUX TOUJOURS PURS

Jours de lenteur, jours de pluie,
Jours de miroirs brisés et d'aiguilles perdues,
Jours de paupières closes à l'horizon des mers,
D'heures toutes semblables, jours de captivité,

Mon esprit qui brillait encore sur les feuilles
Et les fleurs, mon esprit est nu comme l'amour,
L'aurore qu'il oublie lui fait baisser la tête
Et contempler son corps obéissant et vain.

Pourtant, j'ai vu les plus beaux yeux du monde,
Dieux d'argent qui tenaient des saphirs dans leurs mains,
De véritables dieux, des oiseaux dans la terre
Et dans l'eau, je les ai vus.

Leurs ailes sont les miennes, rien n'existe
Que leur vol qui secoue ma misère,
Leur vol d'étoile et de lumière
Leur vol de terre, leur vol de pierre
Sur les flots de leurs ailes,

Ma pensée soutenue par la vie et la mort.

Capitale de la douleur

Ta chevelure d'oranges dans le vide du monde
Dans le vide des vitres lourdes de silence
Et d'ombre où mes mains nues cherchent tous tes reflets.

La forme de ton cœur est chimérique
Et ton amour ressemble à mon désir perdu
O soupirs d'ambre, rêves, regards.

Mais tu n'as pas toujours été avec moi. Ma mémoire
Est encore obscurcie de t'avoir vu venir
Et partir. Le temps se sert de mots comme l'amour.

Au départ du silence
(Poésies 1913-1926)

La courbe de tes yeux fait le tour de mon cœur,
Un rond de danse et de douceur,
Auréole du temps, berceau nocturne et sûr,
Et si je ne sais plus tout ce que j'ai vécu
C'est que tes yeux ne m'ont pas toujours vu.

Feuilles de jour et mousse de rosée,
Roseaux du vent, sourires parfumés,
Ailes couvrant le monde de lumière,
Bateaux chargés du ciel et de la mer,
Chasseurs des bruits et sources des couleurs

Parfums éclos d'une couvée d'aurores
Qui gît toujours sur la paille des astres,
Comme le jour dépend de l'innocence
Le monde entier dépend de tes yeux purs
Et tout mon sang coule dans leurs regards.

Capitale de la douleur

L'Amour, la poésie
(1929)

A haute voix
L'amour agile se leva
Avec de si brillants éclats
Que dans son grenier le cerveau
Eut peur de tout avouer.

A haute voix
Tous les corbeaux du sang couvrirent
La mémoire d'autres naissances
Puis renversés dans la lumière
L'avenir roué de baisers.

Injustice impossible un seul être est au monde
L'amour choisit l'amour sans changer de visage.

Je te l'ai dit pour les nuages
Je te l'ai dit pour l'arbre de la mer
Pour chaque vague pour les oiseaux dans les feuilles
Pour les cailloux du bruit
Pour les mains familières
Pour l'œil qui devient visage ou paysage
Et le sommeil lui rend le ciel de sa couleur
Pour toute la nuit bue
Pour la grille des routes
Pour la fenêtre ouverte pour un front découvert
Je te l'ai dit pour tes pensées pour tes paroles
Toute caresse toute confiance se survivent.

L'Amour, la poésie

Le front aux vitres comme font les veilleurs de chagrin
Ciel dont j'ai dépassé la nuit
Plaines toutes petites dans mes mains ouvertes
Dans leur double horizon inerte indifférent
Le front aux vitres comme font les veilleurs de chagrin
Je te cherche par-delà l'attente
Par-delà moi-même
Et je ne sais plus tant je t'aime
Lequel de nous deux est absent.

L'Amour, la poésie

A PEINE DÉFIGURÉE

Adieu tristesse
Bonjour tristesse
Tu es inscrite dans les lignes du plafond
Tu es inscrite dans les yeux que j'aime
Tu n'es pas tout à fait la misère
Car les lèvres les plus pauvres te dénoncent
Par un sourire
Bonjour tristesse
Amour des corps aimables
Puissance de l'amour
Dont l'amabilité surgit
Comme un monstre sans corps
Tête désappointée
Tristesse beau visage.

La Vie immédiate
(1932)

AU REVOIR

Devant moi cette main qui défait les orages
Qui défrise et qui fait fleurir les plantes grimpantes
Avec sûreté est-ce la tienne est-ce un signal
Quand le silence pèse encore sur les mares au fond des puits tout
  au fond du matin.

Jamais décontenancée jamais surprise est-ce ta main
Qui jure sur chaque feuille la paume au soleil
Le prenant à témoin est-ce ta main qui jure
De recevoir la moindre ondée et d'en accepter le déluge
Sans l'ombre d'un éclair passé
Est-ce ta main ce souvenir foudroyant au soleil.

Prends garde la place du trésor est perdue
Les oiseaux de nuit sans mouvement dans leur parure
Ne fixent rien que l'insomnie aux nerfs assassins
Dénouée est-ce ta main qui est ainsi indifférente
Au crépuscule qui laisse tout échapper.

Toutes les rivières trouvent des charmes à leur enfance
Toutes les rivières reviennent du bain
Les voitures affolées parent de leurs roues le sein des places

Est-ce ta main qui fait la roue
Sur les places qui ne tournent plus
Ta main dédaigneuse de l'eau des caresses
Ta main dédaigneuse de ma confiance de mon insouciance
Ta main qui ne saura jamais me détourner de toi.

La Vie immédiate
(1932)

GEORGES FOUREST

1864-1945

LA NÉGRESSE BLONDE

Cannibale, mais ingénue,
elle est assise, toute nue,
sur une peau de kanguroo,
dans l'île de Tamamourou !
Là, pétauristes, potourous,
ornithorynques et wombats,
phascolomes prompts au combat,
près d'elle prennent leurs ébats !
Selon la mode Papoua,
sa mère, enfant, la tatoua :
en jaune, en vert, en vermillon,
en zinzolin, par millions
oiseaux, crapauds, serpents, lézards,
fleurs polychromes et bizarres,
chauves-souris, monstres ailés,
laids, violets, bariolés,
sur son corps noir sont dessinés.
Sur ses fesses bariolées
on écrivit en violet
deux sonnets sibyllins rimés
par le poète Mallarmé
et sur son ventre peint en bleu
fantastique se mord la queue
un amphisbène.

L'arête d'un poisson lui traverse le nez,
de sa dextre aux doigts terminés
par des ongles teints au henné,
elle caresse un échidné,
et parfois elle fait sonner
en souriant d'un air amène
à son col souple un beau collier
de dents humaines,
La belle Négresse, la Négresse blonde !

Or des Pierrots,
de blancs Pierrots, de doux Pierrots
blancs comme des poiriers en fleurs,
comme la fleur
des pâles nymphéas sur l'eau,
comme l'écorce des bouleaux,
comme le cygne, oiseau des eaux,
comme les os
d'un vieux squelette,
blancs comme un blanc papier de riz,
blancs comme un blanc Mois-de-Marie,
de doux Pierrots, de blancs Pierrots
dansent le falot boléro
la fanfoulla, la bamboula,
éperdument au son de la
maigre gusla,
autour de la
Négresse blonde.

PSEUDO-SONNET
AFRICAIN ET GASTRONOMIQUE
OU (PLUS SIMPLEMENT)
REPAS DE FAMILLE

> Prenez et mangez : ceci est mon corps.

Au bord du Loudjiji qu'embaument les arômes
des toumbos, le bon roi Makoko s'est assis,
Un m'gannga tatoua de zigzags polychromes
sa peau d'un noir vineux tirant sur le cassis.

Il fait nuit : les m'pafous ont des senteurs plus frêles ;
sourd, un marimeba vibre en des temps égaux ;
des alligators d'or grouillent parmi les prêles ;
un vent léger courbe la tête des sorghos ;

et le mont Koungoua rond comme une bedaine,
sous la lune aux reflets pâles de molybdène,
se mire dans le fleuve au bleuâtre circuit.

Makoko reste aveugle à tout ce qui l'entoure :
avec conviction ce potentat savoure
un bras de son grand-père et le juge trop cuit.

PSEUDO-SONNET
AFRICAIN ET GASTRONOMIQUE
OU (PLUS SIMPLEMENT)
REPAS DE FAMILLE

Prenez et mangez : ceci est mon corps.

Au bord du Loudibji qu'embaument les aromes
des toumbos, le bon roi Makoko s'est assis.
Un m'ganhga tatous de zigzags polychromes
sa peau d'un noir vineux tirant sur le cassis.

Il fait nuit ; les m'patous ont des senteurs plus frêles ;
sourd, un marimbeba vibre en des temps égaux ;
des alligators d'or grouillent parmi les herbes ;
un vent léger courbe la tête des sorgbos.

et le mont Koumbala rond comme une bedaine,
sous la lune aux reflets pâles de molybdène,
se mire dans le fleuve au bleuâtre circuit...

Makoko reste aveugle à tout ce qui l'entoure
avec conviction ce bonhae savoure
un bras de son grand-père et le juge trop cuit.

ANDRÉ FRÉNAUD

1907-1993

Soleil irréductible
(1943-1959)

LA VIE DANS LE TEMPS

Les secondes, pas à pas inaccessibles —
Les minutes se pressaient, toujours trop longues —
Les heures, l'une après l'autre mal aimées —
L'an neuf, en allé sans remplir les vœux —
Le jour accompli, le cœur tourne encore —
Le sommeil, au matin miroir interdit —
L'instant n'a pas lui où nous aurions pu —
Notre vie, infranchissable, recluse —

Il n'y a pas de paradis
(1962)

LA VIE LE VENT

La vie qui bâclait en passant
l'orage printanier et poursuivait
la vie — le vent aux cent promesses
tenues jamais — qui poursuivait,
aux cent promesses et au désastre
et poursuivait la vie, le vent,

la vie si douce quand il lui plaît.

Il n'y a pas de paradis

LE SOUVENIR VIVANT DE JOSEPH F.
PÊCHEUR DE COLLIOURE

En revenant de Collioure le plus long jour de l'année,
tellement insuffisant pour s'épancher avec l'ami nouveau.
Malhabiles nous sommes à nous atteindre, les hommes,
malgré la promesse entrevue dans l'eau du regard.
La pêche est à portée, mais on prend toujours si peu.
Richesses furtives qui ne parviennent pas à s'échanger.
Cœurs obscurcis par trop de navigations douloureuses.
Cœurs secrets, plus difficiles à gagner que les poissons.

En vain le clapotis figé par la nuit s'efforce de retenir
le train qui s'allonge dans le matin lent.
Nous sommes si loin déjà de la lueur de la rencontre,
emportés dans le quotidien, sans certitude de retour.
Mais à jamais le souvenir de cet homme comme un fer obstiné,
dans un coin inaperçu du cœur me blessera
d'une blessure, comme est la droiture, merveilleuse.

Il n'y a pas de paradis

BLASON D'OXFORD

Le gazon blasonnant les pierres,
les larmes des pierres qui abondent dans l'ouvrage érigé,
ton sourire de prêtre qui retient dans le quotidien dimanche
le parfait désert sous la parure gothique,
l'amour dans une absence aussi brûlante.
Et ton silence bruit jusqu'aux prairies trop studieuses.
Tu t'efforces, tu maintiens le pas de l'Angleterre vieille
qui s'acharne ici où détresse est vaillance.

Il n'y a pas de paradis

GILBERT

1750-1780

GILBERT
1750-1780

GILBERT

1750-1780

ODE IMITÉE DE PLUSIEURS PSAUMES ET COMPOSÉE PAR L'AUTEUR HUIT JOURS AVANT SA MORT

J'ai révélé mon cœur au Dieu de l'innocence ;
    Il a vu mes pleurs pénitents.
Il guérit mes remords, il m'arme de constance ;
    Les malheureux sont ses enfants.

Mes ennemis, riant, ont dit dans leur colère :
    « Qu'il meure et sa gloire avec lui ! »
Mais à mon cœur calmé le Seigneur dit en père :
    « Leur haine sera ton appui.

« A tes plus chers amis ils ont prêté leur rage :
    Tout trompe ta simplicité ;
Celui que tu nourris court vendre ton image
    Noire de sa méchanceté.

« Mais Dieu t'entend gémir, Dieu vers qui te ramène
    Un vrai remords né des douleurs ;
Dieu qui pardonne enfin à la nature humaine
    D'être faible dans les malheurs.

« J'éveillerai pour toi la pitié, la justice
    De l'incorruptible avenir ;
Eux-mêmes épureront, par leur long artifice,
    Ton honneur qu'ils pensent ternir. »

Soyez béni, mon Dieu ! vous qui daignez me rendre
      L'innocence et son noble orgueil ;
Vous qui, pour protéger le repos de ma cendre,
      Veillerez près de mon cercueil !

Au banquet de la vie, infortuné convive,
      J'apparus un jour, et je meurs.
Je meurs ; et, sur ma tombe où lentement j'arrive,
      Nul ne viendra verser des pleurs.

Salut, champs que j'aimais ! et vous, douce verdure !
      Et vous, riant exil des bois !
Ciel, pavillon de l'homme, admirable nature,
      Salut pour la dernière fois !

Ah ! puissent voir longtemps votre beauté sacrée
      Tant d'amis sourds à mes adieux !
Qu'ils meurent pleins de jours ! que leur mort soit pleurée !
      Qu'un ami leur ferme les yeux !

VICTOR HUGO

1802-1885

Odes et Ballades
(1822)

LE POÈTE
DANS LES RÉVOLUTIONS

A M. Alexandre Soumet.

« Que n'es-tu né sur les rivages
Des Abbas et des Cosroës,
Aux rayons d'un ciel sans nuages,
Parmi le myrte et l'aloès !
Là, sourd aux maux que tu déplores,
Le poète voit ses aurores
Se lever sans trouble et sans pleurs ;
Et la colombe, chère aux sages,
Porte aux vierges ses doux messages
Où l'amour parle avec des fleurs ! »

Mars 1821.

Les Orientales
(1829)

LA SULTANE FAVORITE

> *Perfide comme l'onde.*
> Shakespeare.

N'ai-je pas pour toi, belle juive,
Assez dépeuplé mon sérail ?
Souffre qu'enfin le reste vive.
Faut-il qu'un coup de hache suive
Chaque coup de ton éventail ?

Repose-toi, jeune maîtresse.
Fais grâce au troupeau qui me suit.
Je te fais sultane et princesse :
Laisse en paix tes compagnes, cesse
D'implorer leur mort chaque nuit.

Quand à ce penser tu t'arrêtes,
Tu viens plus tendre à mes genoux ;
Toujours je comprends dans les fêtes
Que tu vas demander des têtes
Quand ton regard devient plus doux.

Ah ! jalouse entre les jalouses !
Si belle avec ce cœur d'acier !
Pardonne à mes autres épouses.
Voit-on que les fleurs des pelouses
Meurent à l'ombre du rosier ?

Ne suis-je pas à toi ? Qu'importe,
Quand sur toi mes bras sont fermés,
Que cent femmes qu'un feu transporte
Consument en vain à ma porte
Leur souffle en soupirs enflammés ?

Dans leur solitude profonde,
Laisse-les t'envier toujours ;
Vois-les passer comme fuit l'onde ;
Laisse-les vivre : à toi le monde !
A toi mon trône, à toi mes jours !

A toi tout mon peuple — qui tremble !
A toi Stamboul qui, sur ce bord
Dressant mille flèches ensemble,
Se berce dans la mer, et semble
Une flotte à l'ancre qui dort !

A toi, jamais à tes rivales,
Mes spahis aux rouges turbans,
Qui, se suivant sans intervalles,
Volent courbés sur leurs cavales
Comme des rameurs sur leurs bancs !

A toi Bassora, Trébizonde,
Chypre où de vieux noms sont gravés,
Fez où la poudre d'or abonde,
Mosul où trafique le monde,
Erzeroum aux chemins pavés !

A toi Smyrne et ses maisons neuves
Où vient blanchir le flot amer !
Le Gange redouté des veuves !
Le Danube qui par cinq fleuves
Tombe échevelé dans la mer !

Dis, crains-tu les filles de Grèce?
Les lys pâles de Damanhour?
Ou l'œil ardent de la négresse
Qui, comme une jeune tigresse,
Bondit rugissante d'amour?

Que m'importe, juive adorée,
Un sein d'ébène, un front vermeil!
Tu n'es point blanche ni cuivrée,
Mais il semble qu'on t'a dorée
Avec un rayon du soleil.

N'appelle donc plus la tempête,
Princesse, sur ces humbles fleurs,
Jouis en paix de ta conquête,
Et n'exige pas qu'une tête
Tombe avec chacun de tes pleurs!

Ne songe plus qu'aux frais platanes,
Au bain mêlé d'ambre et de nard,
Au golfe où glissent les tartanes...
Il faut au sultan des sultanes;
Il faut des perles au poignard!

22 octobre 1828.

LES DJINNS

E come i gru van cantando lor lai
Facendo in aer di se lunga riga,
Cosi vid'io venir traendo guai
Ombre portate dalla detta briga.

DANTE

Et comme les grues qui font dans l'air de
longues files vont chantant leur plainte, ainsi
je vis venir traînant des gémissements les ombres emportées par cette tempête.

Murs, ville,
Et port,
Asile
De Mort,
Mer grise
Où brise
La brise,
Tout dort.

Dans la plaine
Naît un bruit.
C'est l'haleine
De la nuit.
Elle brame
Comme une âme
Qu'une flamme
Toujours suit.

La voix plus haute
Semble un grelot.
D'un nain qui saute
C'est le galop.
Il fuit, s'élance,
Puis en cadence
Sur un pied danse
Au bout d'un flot.

La rumeur approche.
L'écho la redit.
C'est comme la cloche
D'un couvent maudit ;
Comme un bruit de foule,
Qui tonne et qui roule,
Et tantôt s'écroule,
Et tantôt grandit.

Dieu ! la voix sépulcrale
Des Djinns !... Quel bruit ils font !
Fuyons sous la spirale
De l'escalier profond.
Déjà s'éteint ma lampe,
Et l'ombre de la rampe,
Qui le long du mur rampe,
Monte jusqu'au plafond.

C'est l'essaim des Djinns qui passe,
Et tourbillonne en sifflant !
Les ifs, que leur vol fracasse,
Craquent comme un pin brûlant.
Leur troupeau, lourd et rapide,
Volant dans l'espace vide,
Semble un nuage livide
Qui porte un éclair au flanc.

Ils sont tout près ! — Tenons fermée
Cette salle, où nous les narguons.
Quel bruit dehors ! Hideuse armée
De vampires et de dragons !
La poutre du toit descellée
Ploie ainsi qu'une herbe mouillée,
Et la vieille porte rouillée
Tremble, à déraciner ses gonds !

Cris de l'enfer ! voix qui hurle et qui pleure !
L'horrible essaim, poussé par l'aquilon,
Sans doute, ô ciel ! s'abat sur ma demeure.
Le mur fléchit sous le noir bataillon.
La maison crie et chancelle penchée,
Et l'on dirait que, du sol arrachée,
Ainsi qu'il chasse une feuille séchée,
Le vent la roule avec leur tourbillon !

Prophète ! si ta main me sauve
De ces impurs démons des soirs,
J'irai prosterner mon front chauve
Devant tes sacrés encensoirs !
Fais que sur ces portes fidèles
Meure leur souffle d'étincelles,
Et qu'en vain l'ongle de leurs ailes
Grince et crie à ces vitraux noirs !

Ils sont passés ! — Leur cohorte
S'envole, et fuit, et leurs pieds
Cessent de battre ma porte
De leurs coups multipliés.
L'air est plein d'un bruit de chaînes,
Et dans les forêts prochaines
Frissonnent tous les grands chênes,
Sous leur vol de feu pliés !

De leurs ailes lointaines
Le battement décroît,
Si confus dans les plaines,
Si faible, que l'on croit
Ouïr la sauterelle
Crier d'une voix grêle,
Ou pétiller la grêle
Sur le plomb d'un vieux toit.

D'étranges syllabes
Nous viennent encore ;
Ainsi, des arabes
Quand sonne le cor,
Un chant sur la grève
Par instants s'élève,
Et l'enfant qui rêve
Fait des rêves d'or.

Les Djinns funèbres,
Fils du trépas,
Dans les ténèbres
Pressent leurs pas ;
Leur essaim gronde :
Ainsi, profonde,
Murmure une onde
Qu'on ne voit pas.

Ce bruit vague,
Qui s'endort,
C'est la vague
Sur le bord ;
C'est la plainte,
Presque éteinte,
D'une sainte
Pour un mort.

On doute
La nuit…
J'écoute : …
Tout fuit,
Tout passe ;
L'espace
Efface
Le bruit.

28 août 1828.

LES CHANTS DU CRÉPUSCULE
(1835)

Puisque j'ai mis ma lèvre à ta coupe encor pleine,
Puisque j'ai dans tes mains posé mon front pâli,
Puisque j'ai respiré parfois la douce haleine
De ton âme, parfum dans l'ombre enseveli,

Puisqu'il me fut donné de t'entendre me dire
Les mots où se répand le cœur mystérieux,
Puisque j'ai vu pleurer, puisque j'ai vu sourire
Ta bouche sur ma bouche et tes yeux sur mes yeux;

Puisque j'ai vu briller sur ma tête ravie
Un rayon de ton astre, hélas! voilé toujours,
Puisque j'ai vu tomber dans l'onde de ma vie
Une feuille de rose arrachée à tes jours,

Je puis maintenant dire aux rapides années:
— Passez! passez toujours! je n'ai plus à vieillir!
Allez-vous-en avec vos fleurs toutes fanées;
J'ai dans l'âme une fleur que nul ne peut cueillir!

Votre aile en le heurtant ne fera rien répandre
Du vase où je m'abreuve et que j'ai bien rempli.
Mon âme a plus de feu que vous n'avez de cendre!
Mon cœur a plus d'amour que vous n'avez d'oubli!

1er janvier 1835.
Minuit et demi.

Les Châtiments
(1853)

XIII

L'EXPIATION

Il neigeait. On était vaincu par sa conquête.
Pour la première fois l'aigle baissait la tête.
Sombres jours! l'empereur revenait lentement,
Laissant derrière lui brûler Moscou fumant.
Il neigeait. L'âpre hiver fondait en avalanche.
Après la plaine blanche une autre plaine blanche.
On ne connaissait plus les chefs ni le drapeau.
Hier la grande armée, et maintenant troupeau.
On ne distinguait plus les ailes ni le centre.
Il neigeait. Les blessés s'abritaient dans le ventre
Des chevaux morts; au seuil des bivouacs désolés
On voyait des clairons à leur poste gelés,
Restés debout, en selle et muets, blancs de givre,
Collant leur bouche en pierre aux trompettes de cuivre.
Boulets, mitraille, obus, mêlés aux flocons blancs,
Pleuvaient; les grenadiers, surpris d'être tremblants,
Marchaient pensifs, la glace à leur moustache grise.
Il neigeait, il neigeait toujours! La froide bise
Sifflait; sur le verglas, dans des lieux inconnus,
On n'avait pas de pain et l'on allait pieds nus.
Ce n'étaient plus des cœurs vivants, des gens de guerre:
C'était un rêve errant dans la brume, un mystère,

Une procession d'ombres sous le ciel noir.
La solitude vaste, épouvantable à voir,
Partout apparaissait, muette vengeresse.
Le ciel faisait sans bruit avec la neige épaisse
Pour cette immense armée un immense linceul.
Et chacun se sentait mourir, on était seul.

. . . .

LES MARTYRES

Ces femmes, qu'on envoie aux lointaines bastilles,
Peuple, ce sont tes sœurs, tes mères et tes filles !
O peuple, leur forfait, c'est de t'avoir aimé !
Paris sanglant, courbé, sinistre, inanimé,
Voit ces horreurs et garde un silence farouche.

Celle-ci, qu'on amène un bâillon dans la bouche,
Cria — c'est là son crime — : à bas la trahison !
Ces femmes sont la foi, la vertu, la raison,
L'équité, la pudeur, la fierté, la justice.
Saint-Lazare — il faudra broyer cette bâtisse !
Il n'en restera pas pierre sur pierre un jour ! —
Les reçoit, les dévore, et, quand revient leur tour,
S'ouvre, et les revomit par son horrible porte,
Et les jette au fourgon hideux qui les emporte.
Où vont-elles ? L'oubli le sait, et le tombeau
Le raconte au cyprès et le dit au corbeau.
Une d'elles était une mère sacrée.
Le jour qu'on l'entraîna vers l'Afrique abhorrée,
Ses enfants étaient là qui voulaient l'embrasser ;
On les chassa. La mère en deuil les vit chasser
Et dit : partons ! Le peuple en larmes criait grâce.
La porte du fourgon étant étroite et basse,
Un argousin joyeux, raillant son embonpoint,

La fit entrer de force en la poussant du poing.
Elles s'en vont ainsi, malades, verrouillées,
Dans le noir chariot aux cellules souillées
Où le captif, sans air, sans jour, sans pleurs dans l'œil,
N'est plus qu'un mort vivant assis dans son cercueil.
Dans la route on entend leurs voix désespérées.
Le peuple hébété voit passer ces torturées.
A Toulon, le fourgon les quitte, le ponton
Les prend ; sans vêtements, sans pain, sous le bâton,
Elles passent la mer, veuves, seules au monde,
Mangeant avec les doigts dans la gamelle immonde.

Bruxelles, 8 juillet 1852.

SAINT-ARNAUD

Cet homme avait donné naguère un coup de main
Au recul de la France et de l'esprit humain ;
Ce général avait les états de service
D'un chacal, et le crime aimait en lui le vice.
Buffon l'eût admis, certe(s), au rang des carnassiers.
Il avait fait charger le septième lanciers,
Secouant les guidons aux trois couleurs françaises,
Sur des bonnes d'enfants, derrière un tas de chaises ;
Il était le vainqueur des passants de Paris ;
Il avait mitraillé les cigares surpris
Et broyé Tortoni fumant, à coups de foudre ;
Fier, le tonnerre au poing, il avait mis en poudre
Un marchand de coco près des Variétés ;
Avec quinze escadrons, bien armés, bien montés,
Et trente bataillons, et vingt pièces de douze,
Il avait pris d'assaut le perron Sallandrouze ;
Il avait réussi même, en fort peu de temps,
A tuer sur sa porte un enfant de sept ans ;
Et sa gloire planait dans l'ouragan qui tonne
De l'égout Poissonnière au ruisseau Tiquetonne.
Tout cela l'avait fait maréchal. Nous aussi,
Nous étions des vaincus, je dois le dire ici ;
Nous étions douze cents ; eux, ils étaient cent mille.

ULTIMA VERBA

. . . .

Je serai, sous le sac de cendre qui me couvre,
La voix qui dit : malheur ! la bouche qui dit : non !
Tandis que tes valets te montreront ton Louvre,
Moi, je te montrerai, César, ton cabanon.

Devant les trahisons et les têtes courbées,
Je croiserai les bras, indigné mais serein.
Sombre fidélité pour les choses tombées,
Sois ma force et ma joie et mon pilier d'airain !

Oui, tant qu'il sera là, qu'on cède ou qu'on persiste,
O France ! France aimée et qu'on pleure toujours,
Je ne reverrai pas ta terre douce et triste,
Tombeau de mes aïeux et nid de mes amours !

Je ne reverrai pas ta rive qui nous tente,
France ! hors le devoir, hélas ! j'oublierai tout.
Parmi les éprouvés je planterai ma tente.
Je resterai proscrit, voulant rester debout.

J'accepte l'âpre exil, n'eût-il ni fin ni terme,
Sans chercher à savoir et sans considérer
Si quelqu'un a plié qu'on aurait cru plus ferme,
Et si plusieurs s'en vont qui devraient demeurer.

Si l'on n'est plus que mille, eh bien, j'en suis! Si même
Ils ne sont plus que cent, je brave encor Sylla;
S'il en demeure dix, je serai le dixième;
Et s'il n'en reste qu'un, je serai celui-là!

14 décembre, Jersey.

LES CONTEMPLATIONS
(1856)

Demain, dès l'aube, à l'heure où blanchit la campagne,
Je partirai. Vois-tu, je sais que tu m'attends.
J'irai par la forêt, j'irai par la montagne.
Je ne puis demeurer loin de toi plus longtemps.

Je marcherai les yeux fixés sur mes pensées,
Sans rien voir au dehors, sans entendre aucun bruit,
Seul, inconnu, le dos courbé, les mains croisées,
Triste, et le jour pour moi sera comme la nuit.

Je ne regarderai ni l'or du soir qui tombe,
Ni les voiles au loin descendant vers Harfleur,
Et quand j'arriverai, je mettrai sur ta tombe
Un bouquet de houx vert et de bruyère en fleur.

3 septembre 1847.

LA FIN DE SATAN

Beaucoup se tromperont, l'erreur naîtra de moi,
L'ombre est noire toujours même tombant des cygnes.

Livre Deuxième, II
(Jésus-Christ, VIII)

MAX JACOB

1876-1944

A Georges Auric.

Il se peut qu'un rêve étrange
Vous ait occupée ce soir,
Vous avez cru voir un ange
Et c'était votre miroir.

Dans sa fuite Éléonore
A défait ses longs cheveux
Pour dérober à l'aurore
Le doux objet de mes vœux.

A quelque mari fidèle
Il ne faudra plus penser.
Je suis amant, j'ai des ailes
Je vous apprends à voler.

Que la muse du mensonge
Apporte au bout de vos doigts
Ce dédain qui n'est qu'un songe
Du berger plus fier qu'un roi.

Le Laboratoire central
(1921)

À Georges Auric

Il se peut qu'un rêve étrange
Vous ait occupée ce soir,
Vous avez cru voir un ange
Et c'était votre miroir.

Dans sa fuite Éléonore
A défait ses longs cheveux
Pour dérober à l'aurore
Le doux objet de mes vœux.

À quelque mari fidèle
Il ne faudra plus penser.
Je suis amant, j'ai des ailes
Je vous apprends à voler.

Que la muse du mensonge
Apporte au bout de vos doigts,
Ce dédain qui n'est qu'un songe
Du berger plus fier qu'un roi.

Le Laboratoire central
(1922)

LOUISE LABÉ

1524-1566

SONNETS [1]

I

O beaux yeux bruns, ô regars destournez,
O chaus soupirs, ô larmes espandues,
O noires nuits vainement atendues,
O jours luisans vainement retournez :
      O tristes pleins [2], ô desirs obstinez,
O tems perdus, ô peines despendues,
O mile morts en mile rets [3] tendues,
O pires maus contre moy destinez :
      O ris, ô front, cheveus, bras, mains et doits :
O lut pleintif, viole, archet et vois :
Tant de flambeaus pour ardre une femmelle !
      De toy me plein, que, tant de feus portant,
En tant d'endrois, d'iceux mon cœur tatant,
N'en est sur toy volé quelque estincelle.

---

1. Pour l'orthographe, je suis le texte établi par Albert-Marie Schmidt pour l'édition de la Pléiade des *Poètes du XVIe siècle*. On remarquera l'absence quasi totale d'accentuation.
2. Plaintes.
3. Filets, filets de chasse.

II

O longs desirs ! O esperances vaines,
Tristes soupirs et larmes coutumieres
A engendre de moy maintes rivieres,
Dont mes deus yeus sont sources et fontaines :
    O cruautez, o durtez inhumaines,
Piteus regars des celestes lumieres,
Du cœur transi o passions premieres,
Estimez vous croitre encore mes peines ?
    Qu'encor Amour sur moy son arc essaie,
Que nouveaus feus me gette et nouveaus dards,
Qu'il se despite, et pis qu'il pourra face :
    Car je suis tant navree en toutes pars,
Que plus en moy une nouvelle plaie
Pour m'empirer ne pourroit trouver place.

III

Depuis qu'amour cruel empoisonna
Premièrement de son feu ma poitrine,
Tousjours brulay de sa fureur divine,
Qui un seul jour mon cœur n'abandonna.
          Quelque travail, dont assez me donna,
Quelque menasse et prꝏcheine ruine,
Quelque penser de mort qui tout termine,
De rien mon cœur ardent ne s'estonna.
          Tant plus qu'Amour nous vient fort assaillir,
Plus il nous fait nos forces recueillir,
Et tousjours frais en ses combats fait estre :
          Mais ce n'est pas qu'en rien nous favorise
Cil [1] qui les Dieus et les hommes mesprise :
Mais pour plus fort contre les fors paroitre.

---

1. Celui.

IV

Clere Venus, qui erres par les Cïeus,
Entends ma voix qui en pleins [1] chantera,
Tant que ta face au haut du ciel luira,
Son long travail et souci ennuieus.
   Mon œil veillant s'atendrira bien mieus,
Et plus de pleurs te voyant getera.
Mieus mon lit mol de larmes baignera,
De ses travaux voyant témoins tes yeus.
   Donq des humains sont les lassez esprits
De dous repos et de sommeil espris.
J'endure mal tant que le Soleil luit :
   Et quand je suis quasi tout cassee,
Et que me suis mise en mon lit lassee,
Crier me faut mon mal toute la nuit.

―――――――
1. Plaintes.

V

Deus ou trois fois bienheureus le retour
De ce cler Astre, et plus heureus encore
Ce que son œil de regarder honore :
Que celle là recevroit un bon jour,
      Qu'elle pourroit se vanter d'un bon tour
Qui baiseroit le plus beau don de Flore,
Le mieus sentant que jamais vid Aurore,
Et y feroit sur ses levres sejour !
      C'est à moy seule à qui ce bien est du,
Pour tant de pleurs et tant de tems perdu :
Mais, le voyant, tant luy feray de feste,
      Tant emploiray de mes yeux le pouvoir,
Pour dessus lui plus de credit avoir,
Qu'en peu de tems feray grande conqueste.

VI

On voit mourir toute chose animee,
Lors que du corps l'ame sutile part :
Je suis le corps, toy la meilleure part :
Où es tu donc, o ame bien aymee ?
     Ne me laissez pas si long tems pamee :
Pour me sauver apres viendrois trop tard.
Las ! ne mets point ton corps en ce hazart :
Rens lui sa part et moitie estimee.
     Mais fais, Ami, que ne soit dangereuse
Cette rencontre et revuë amoureuse,
L'accompagnant, non de severité,
     Non de rigueur, mais de grace amiable,
Qui doucement me rende ta beauté,
Jadis cruelle, à present favorable.

VII

Je vis, je meurs : je me brule et me noye.
J'ay chaut estreme en endurant froidure :
La vie [1] m'est et trop molle et trop dure.
J'ai grans ennuis entremeslez de joye :
    Tout à un coup je ris et je larmoye,
Et en plaisir maint grief [2] tourment j'endure :
Mon bien s'en va, et à jamais il dure :
Tout en un coup je seiche et je verdoye.

    Ainsi Amour inconstamment me meine :
Et, quand je pense avoir plus de douleur,
Sans y penser je me treuve hors de peine.

    Puis, quand je croy ma joy estre certeine,
Et estre au haut de mon desiré heur [3],
Il me remet en mon premier malheur.

---

1. Prononcer : *vi-eu* (deux pieds).
2. Prononcer : *grif* (un pied).
3. Bonheur, faveur, fortune bonne ou mauvaise.

VIII

Tout aussi tot que je commence à prendre
Dens le mol lit le repos desiré,
Mon triste esprit hors de moy retiré,
S'en va vers toy incontinent se rendre.

    Lors m'est avis que dedens mon sein tendre
Je tiens le bien, où j'ay tant aspiré,
Et pour lequel j'ay si haut souspiré
Que de sanglots ay souvent cuidé [1] fendre.

    O dous sommeil, o nuit à moy heureuse !
Plaisant repos plein de tranquilité,
Continuez toutes les nuiz mon songe :

    Et si jamais ma povre ame amoureuse
Ne doit avoir de bien en verité,
Faites au moins qu'elle en ait en mensonge.

---

1. Cuider, cuyder : penser, imaginer, croire, à tort ou à raison.

IX

Quand j'aperçoy ton blond chef, couronné
D'un laurier verd, faire un lut si bien pleindre,
Que tu pourrois à te süivre contreindre
Arbres et rocs : quand je te vois, orné
     Et de vertus dix mile environné,
Au chef d'honneur plus haut que nul ateindre,
Et des plus hauts les louenges esteindre,
Lors dit mon cœur en soy passionné :
     Tant de vertus qui te font estre aymé,
Qui de chacun te font estre estimé,
Ne te pourroient aussi bien faire aymer ?
     Et, ajoutant à ta vertu louable
Ce nom encor de m'estre pitoyable,
De mon amour doucement t'enflamer ?

X

O dous regars, o yeus pleins de beauté,
Petits jardins pleins de fleurs amoureuses
Où sont d'Amour les flesches dangereuses,
Tant à vous voir mon œil s'est arresté!
  O cœur felon, o rude cruauté,
Tant tu me tiens de façons rigoureuses,
Tant j'ay coulé de larmes langoureuses,
Sentant l'ardeur de mon cœur tourmenté!
  Donques, mes yeux, tant de plaisir avez,
Tant de bons tours par ses yeus recevez:
Mais toy, mon cœur, plus les vois s'y complaire,
  Plus tu languiz, plus en as de souci:
Or devinez si je suis aise aussi,
Sentant mon œil estre à mon cœur contraire.

XI

Lut, compagnon de ma calamité,
De mes soupirs témoin irreprochable,
De mes ennuis controlleur veritable,
Tu as souvent avec moy lamenté :
        Et tant le pleur piteus t'a molesté,
Que, commençant quelque sort delectable,
Tu le rendois tout soudein lamentable,
Feingnant le ton que plein avoit chanté.
        Et si te veus efforcer au contraire,
Tu te destens, et si [1] me contreins taire :
Mais, me voyant tendrement soupirer,
        Donnant faveur à ma tant triste pleinte,
En mes ennuis me plaire suis contreinte,
Et d'un dous mal douce fin esperer.

---

1. Aux xve et xvie siècles, « si » est à la fois conjonction de subordination dans son sens actuel, introduisant une proposition conditionnelle, et adverbe, signifiant le plus souvent « pourtant », « toutefois », mais encore « ainsi », « de même ».

XII

Oh, si j'estois en ce beau sein ravie
De celui là pour lequel vois [1] mourant :
Si avec luy vivre le demeurant
De mes cours jours ne m'empeschoit envie :
      Si m'acollant me disoit : chere Amie,
Contentons nous l'un l'autre ! s'asseurant
Que ja tempeste, Euripe [2], ne [3] Courant
Ne nous pourra desjoindre en notre vie :
      Si de mes bras le tenant acollé,
Comme du lierre est l'arbre encercelé,
La mort venoit, de mon aise envieuse,
      Lors que, souef [4], plus il me baiseroit,
Et mon esprit sur ses levres fuiroit,
Bien je mourrois, plus que vivante, heureuse.

---

1. Je vais, je suis en train de.
2. Détroit entre l'Eubée et les côtes de Béotie et d'Attique.
3. Ni.
4. Doux, agréable, suave. Adv. : doucement, agréablement.

XIII

Tant que mes yeus pourront larmes espandre
A l'heur [1] passé avec toi regretter :
Et qu'aus sanglots et soupirs resister
Pourra ma voix, et un peu faire entendre :
     Tant que ma main pourra les cordes tendre
Du mignart Lut, pour tes graces chanter :
Tant que l'esprit se voudra contenter
De ne vouloir rien fors que toy comprendre :
     Je ne souhaite encore point mourir.
Mais quand mes yeus je sentiray tarir,
Ma voix cassée, et ma main impuissante,
     Et mon esprit en ce mortel sejour
Ne pouvant plus montrer signe d'amante :
Prirey la Mort noircir mon plus cler jour.

---

1. Bonheur, faveur, fortune bonne ou mauvaise.

XIV

Pour le retour du Soleil honorer,
Le Zephir l'air serein lui apareille,
Et du sommeil l'eau et la terre esveille,
Qui les gardoit, l'une de murmurer
     En dous coulant, l'autre de se parer
De mainte fleur de couleur nompareille.
Ja les oiseaus es [1] arbres font merveille
Et aus passans font l'ennui moderer :
     Les Nynfes ja en mile jeus s'esbatent
Au cler de Lune, et, dansans, l'herbe abattent :
Veus tu, Zephir, de ton heur me donner,
     Et que par toy toute me renouvelle ?
Fay mon Soleil devers moy retourner,
Et tu verras s'il ne me rend plus belle.

---

1. Dans les.

XV

Apres qu'un tems la gresle et le tonnerre
Ont le haut mont de Caucase batu,
Le beau jour vient, de lueur revétu.
Quand Phebus ha son cerne fait en terre,
    Et l'Ocean il regaigne à grand erre,
Sa Seur se montre avec son chef pointu.
Quand quelque tems le Parthe ha combatu,
Il prent la fuite et son arc il desserre.
    Un temps t'ay vù et consolé, pleintif
Et defiant de mon feu peu hatif :
Mais maintenant que tu m'as embrasee,
    Et suis au point auquel tu me voulois,
Tu as ta flame en quelque eau arrosee,
Et es plus froit qu'estre je ne soulois [1].

---

1. Je n'avais l'habitude, je n'avais coutume.

XVI

Je fuis la vile, et temples, et tous lieus
Esquels, prenant plaisir à t'ouir pleindre,
Tu peus, et non sans force me contreindre
De te donner ce qu'estimois le mieus.

    Masques, tournois, jeus me sont ennuieus,
Et rien sans toy de beau ne me puis peindre :
Tant que, tachant à ce desir esteindre,
Et un nouvel objet faire à mes yeus,

    Et des pensers amoureus me distraire,
Des bois espais sui le plus solitaire :
Mais j'aperçoy, ayant erré maint tour,

    Que, si je veus de toy estre delivre,
Il me convient hors de moymesme vivre,
Ou fais encor que loin sois en sejour.

XVII

Baise m'encor, rebaise moy et baise :
Donne m'en un de tes plus savoureus,
Donne m'en un de tes plus amoureus :
Je t'en rendray quatre plus chaus que braise.
     Las, te pleins tu ? ça que ce mal j'apaise,
En t'en donnant dix autres doucereus.
Ainsi meslans nos baisers tant heureus
Jouissons nous l'un de l'autre à notre aise.
     Lors double vie à chacun en suivra.
Chacun en soy et son ami vivra.
Permets m'Amour penser quelque folie :
     Tousjours suis mal, vivant discrettement,
Et ne puis donner contentement,
Si hors de moy ne fay quelque saillie.

XVIII

Diane estant en l'espesseur d'un bois,
Apres avoir maintes beste assenee,
Prenoit le frais, de Nynfes couronnee.
J'allois resvant comme fay maintefois,
     Sans y penser, quand j'ouy une vois
Qui m'apela, disant : Nynfe estonnee,
Que ne t'es tu vers Diane tournee ?
Et me voyant sans arc et sans carquois :
     Qu'as tu trouvé, o compagne, en ta voye,
Qui de ton arc et flesches ait fait proye ?
Je m'animay, repons je, à un passant,
     Et lui getay en vain toutes mes flesches
Et l'arc apres : mais lui, les ramassant
Et les tirant, me fit cent et cent bresches.

XIX

Predit me fut, que devoit fermement
Un jour aymer celui dont la figure
Me fut descrite, et, sans autre peinture,
Le reconnu quand vy premierement :
        Puis, le voyant aymer fatalement,
Pitié je pris de sa triste aventure :
Et tellement je forçay ma nature,
Qu'autant que lui aymay ardentement.
        Qui n'ust pensé qu'en faveur devoit croitre
Ce que le Ciel et destins firent naitre ?
Mais, quand je voy si nubileus [1] aprets,
        Vents si cruels et tant horrible orage,
Je crois qu'estoient les infernaus arrets,
Qui de si loin m'ourdissoient ce naufrage.

---

1. Nuageux, sombre.

XX

Quelle grandeur rend l'homme venerable?
Quelle grosseur? quel poil? quelle couleur?
Qui est des yeus le plus emmieleur?
Qui fait plus tot une playe incurable?
      Quel chant est plus à l'homme convenable?
Qui plus penetre en chantant sa douleur?
Qui un dous lut fait encore meilleur?
Quel naturel est le plus amiable?
      Je ne voudrois le dire assurément,
Ayant Amour forcé mon jugement:
Mais je say bien, et de tant je m'assure,
      Que tout le beau que lon pourroit choisir,
Et que tout l'art qui ayde la Nature
Ne me sauroient acroitre mon desir.

XXI

Luisant Soleil, que tu es bien heureus
De voir tousjours de t'Amie la face :
Et toi, sa seur, qu'Endimion embrasse,
Tant te repais de miel amoureus.
      Mars voit Venus : Mercure aventureus
De Ciel en Ciel, de lieu en lieu se glasse [1] :
Et Jupiter remarque en mainte place
Ses premiers ans plus gays et chaleureus.
      Voilà du Ciel la puissante harmonie,
Qui les esprits divins ensemble lie :
Mais, s'ils avoient ce qu'ils ayment lointein,
      Leur harmonie et ordre irrevocable
Se tourneroit en erreur variable,
Et comme moy travailleroient en vain.

---

1. Se glisse, passe rapidement.

XXII

Las! que me sert que si parfaitement
Louas jadis et ma tresse foree,
Et de mes yeus la beauté comparee
A deux Soleils, dont l'Amour finement
    Tira les trets, causez de ton tourment?
Où estes vous, pleurs de peu de duree?
Et Mort par qui devoit estre honoree
Ta ferme amour et iteré serment?
    Donques c'estoit le but de ta malice
De m'asservir sous ombre de service?
Pardonne moy, Ami, à cette fois,
    Estant outree et de despit et d'ire:
Mais je m'assure, quelque part que tu sois,
Qu'autant que moy tu soufres de martire.

XXIII

Ne reprenez [1], Dames, si j'ay aymé,
Si j'ay senti mile torches ardentes,
Mile travaus, mile douleurs mordentes.
Si, en pleurant, j'ay mon tems consumé,
     Las! que mon nom n'en soit par vous blamé.
Si j'ay failli, les peines sont presentes,
N'aigrissez point leurs pointes violentes :
Mais estimez qu'Amour, à point nommé,
     Sans votre ardeur d'un Vulcan excuser,
Sans la beauté d'Adonis acuser,
Pourra, s'il veut, plus vous rendre amoureuses,
     En ayant moins que moy d'ocasion,
Et plus d'estrange et forte passion.
Et gardez vous d'estre plus malheureuse !

---

1. Ne me faites pas de reproches.

JEAN DE LA FONTAINE

1621-1695

LES DEUX PIGEONS

. . . .

Amants, heureux amants, voulez-vous voyager?
            Que ce soit aux rives prochaines;
Soyez-vous l'un à l'autre un monde toujours beau,
            Toujours divers, toujours nouveau;
Tenez-vous lieu de tout, comptez pour rien le reste.
J'ai quelquefois aimé; je n'aurais pas alors
            Contre le Louvre et ses trésors,
Contre le firmament et sa voûte céleste,
            Changé les bois, changé les lieux,
Honorés par les pas, éclairés par les yeux
            De l'aimable et jeune bergère
            Pour qui sous le fils de Cythère
Je servis engagé par mes premiers serments.
Hélas! quand reviendront de semblables moments?
Faut-il que tant d'objets si doux et si charmants
Me laissent vivre au gré de mon âme inquiète?
Ah! si mon cœur osait encore se renflammer!
Ne sentirai-je plus de charme qui m'arrête?
            Ai-je passé le temps d'aimer?

RENCONTRE DE VÉNUS ET D'ADONIS

Elle trouve Adonis près des bords d'un ruisseau ;
Couché sur des gazons, il rêve au bruit de l'eau.
Il ne voit presque pas l'onde qu'il considère :
Mais l'éclat des beaux yeux qu'on adore en Cythère
L'a bientôt retiré d'un penser si profond.
Cet objet le surprend, l'étonne et le confond ;
Il admire les traits de la fille de l'onde :
Un long tissu de fleurs, ornant sa tresse blonde,
Avait abandonné ses cheveux aux Zéphyrs ;
Son écharpe, qui vole au gré de leurs soupirs,
Laisse voir les trésors de sa gorge d'albâtre.
Jadis en cet état Mars en fut idolâtre.

Rien ne manque à Vénus, ni les lis, ni les roses,
Ni le mélange exquis des plus aimables choses,
Ni ce charme secret dont l'œil est enchanté,
Ni la grâce, plus belle encor que la beauté.

. . . .

LAMENTATION DE VÉNUS
DEVANT ADONIS MORT

« Mon Amour n'a donc pu te faire aimer la vie !
Tu me quittes, cruel ! Au moins ouvre les yeux,
Montre-toi plus sensible à mes tristes adieux ;
Vois de quelles douleurs ton amante est atteinte !
Hélas ! j'ai beau crier : il est sourd à ma plainte.
Une éternelle nuit l'oblige à me quitter,
Mes pleurs ni mes soupirs ne peuvent l'arrêter.
Encor si je pouvais le suivre en ces lieux sombres !
Que ne m'est-il permis d'errer parmi les ombres !
Destins, si vous vouliez le voir si tôt périr,
Fallait-il m'obliger à ne jamais mourir ?
Malheureuse Vénus, que te servent ces larmes ?
Vante-toi maintenant du pouvoir de tes charmes :
Ils n'ont pu du trépas exempter tes amours ;
Tu vois qu'ils n'ont pu même en prolonger les jours.
Je ne demandais pas que la Parque cruelle
Prît à filer leur trame une peine éternelle ;
Bien loin que mon pouvoir l'empêchât de finir,
Je demande un moment, et ne puis l'obtenir.
Noires divinités du ténébreux empire,
Dont le pouvoir s'étend sur tout ce qui respire,
Rois des peuples légers, souffrez que mon amant
De son triste départ me console un moment.

Vous ne le perdrez point : le trésor que je pleure
Ornera tôt ou tard votre sombre demeure.
Quoi ! vous me refusez un présent si léger ?
Cruels, souvenez-vous qu'Amour m'en peut venger.
Et vous, antres cachés, favorables retraites,
Où nos cœurs ont goûté des douceurs si secrètes,
Grottes, qui tant de fois avez vu mon amant
Me raconter des yeux son fidèle tourment,
Lieux amis du repos, demeures solitaires,
Qui d'un trésor si rare étiez dépositaires,
Déserts, rendez-le-moi : deviez-vous avec lui
Nourrir chez vous le monstre auteur de mon ennui ?
Vous ne répondez point. Adieu donc, ô belle âme ;
Emporte chez les morts ce baiser tout de flamme :
Je ne te verrai plus ; adieu, cher Adonis ! »
Ainsi Vénus cessa. Les roches, à ses cris,
Quittant leur dureté, répandirent des larmes :
Zéphyre en soupira ; le jour voilà ses charmes ;
D'un pas précipité sous les eaux il s'enfuit,
Et laissa dans ces lieux une profonde nuit.

LES AMOURS DE PSYCHÉ

Volupté, Volupté, qui fut jadis maîtresse
    Du plus bel esprit de la Grèce,
Ne me dédaigne pas, viens-t'en loger chez moi ;
    Tu n'y seras pas sans emploi.
J'aime le jeu, l'amour, les livres, la musique,
La ville et la campagne, enfin tout ; il n'est rien
    Qui ne me soit souverain bien,
Jusqu'au sombre plaisir d'un cœur mélancolique.

JULES LAFORGUE

1860-1887

Les Complaintes
(1885)

AUTRE COMPLAINTE
DE LORD PIERROT [1]

Celle qui doit me mettre au courant de la Femme !
Nous lui dirons d'abord, de mon air le moins froid :
« La somme des angles d'un triangle, chère âme,
                    « Est égale à deux droits. »

Et si ce cri lui part : « Dieu de Dieu ! que je t'aime ! »
— « Dieu reconnaîtra les siens. » Ou piquée au vif :
— « Mes claviers ont du cœur, tu seras mon seul thème. »
                    Moi : « Tout est relatif. »

De tous ses yeux, alors ! se sentant trop banale :
« Ah ! tu ne m'aimes pas ; tant d'autres sont jaloux ! »
Et moi, d'un œil qui vers l'Inconscient s'emballe :
                    « Merci, pas mal ; et vous ? »

— « Jouons au plus fidèle ! » — « A quoi bon, ô Nature ! »
« Autant à qui perd gagne ! » Alors, autre couplet :
— « Ah ! tu te lasseras le premier, j'en suis sûre... »
                    — Après vous, s'il vous plaît. »

_____

1. « Autre » par référence à une première *Complainte de Lord Pierrot*, qui n'est pas citée ici.

Enfin, si, par un soir, elle meurt dans mes livres,
Douce ; feignant de n'en pas croire encor mes yeux,
J'aurai un : « Ah ça, mais, nous avions De Quoi vivre !
« C'était donc sérieux ? »

COMPLAINTE SUR CERTAINS ENNUIS

Un couchant des Cosmogonies !
Ah ! que la Vie est quotidienne...
Et, du plus vrai qu'on se souvienne,
Comme on fut piètre et sans génie...

On voudrait s'avouer des choses,
Dont on s'étonnerait en route,
Qui feraient une fois pour toutes !
Qu'on s'entendrait à travers poses.

On voudrait saigner le Silence,
Secouer l'exil des causeries ;
Et non ! ces dames sont aigries
Par des questions de préséance.

Elles boudent là, l'air capable.
Et, sous le ciel, plus d'un s'explique,
Par quel gâchis suresthétiques
Ces êtres-là sont adorables.

Justement, une nous appelle,
Pour l'aider à chercher sa bague,
Perdue (où dans ce terrain vague ?)
Un souvenir d'AMOUR, dit-elle !

Ces êtres-là sont adorables !

COMPLAINTE DES GRANDS PINS
DANS UNE VILLA ABANDONNÉE

A Bade.

Tout hier, le soleil a boudé dans ses brumes,
Le vent jusqu'au matin n'a pas décoléré,
Mais, nous point des coteaux, là-bas, un œil sacré
Qui va vous bousculer ces paquets de bitume !

  — Ah ! vous m'avez trop, trop vanné,
  Bals de diamants, hanches roses ;
  Et, bien sûr, je n'étais pas né
    Pour ces choses.

— Le vent jusqu'au matin n'a pas décoléré.
Oh ! ces quintes de toux d'un chaos bien posthume,
  — Prés et bois vendus ! Que de gens,
  Qui me tenaient mes gants, serviles,
  A cette heure, de mes argents,
    Font des piles !

— Délayant en ciels bas ces paquets de bitume
Qui grimpaient talonnés de noirs Misérérés !

  — Elles, coudes nus dans les fruits,
  Riant, changeant de doigts leurs bagues ;
  Comme nos plages et nos nuits
    Leur sont vagues !

— Oh ! ces quintes de toux d'un chaos bien posthume !
Chantons comme Memnon, le soleil a filtré,

> — Et moi, je suis dans ce lit cru
> De chambre d'hôtel, fade chambre,
> Seul, battu dans les vents bourrus
> De novembre.

— Qui, consolant des vents les noirs Misérérés,
Des nuages en fuite éponge au loin l'écume.

> — Berthe aux sages yeux de lilas,
> Qui priais Dieu que je revinsse,
> Que fais-tu, mariée là-bas,
> En province ?

— Memnons, ventriloquons ! le cher astre a filtré
Et le voilà qui tout authentique s'exhume !

> — Oh ! quel vent ! adieu tout sommeil ;
> Mon Dieu, que je suis bien malade !
> Oh ! notre croisée au soleil
> Bon, à Bade.

— Il rompt ses digues ! vers les grands labours qui fument
Saint Sacrement ! et *Labarum* des *Nox irae !*

> — Et bientôt, seul, je m'en irai,
> A Montmartre, en cinquième classe,
> Loin de père et mère, enterrés
> En Alsace.

COMPLAINTE DES DÉBATS
MÉLANCOLIQUES ET LITTÉRAIRES

> On peut encore aimer, mais confier toute son
> âme est un bonheur qu'on ne retrouvera plus.
>
> *Corinne ou l'Italie.*

Le long d'un ciel crépusculâtre,
Une cloche angéluse en paix
L'air exilescent et marâtre
Qui ne pardonnera jamais.

Paissant des débris de vaisselle,
Là-bas, au talus des remparts,
Se profile une haridelle
Convalescente; il se fait tard.

Qui m'aima jamais? Je m'entête
Sur ce refrain bien impuissant,
Sans songer que je suis bien bête
De me faire du mauvais sang.

Je possède un propre physique,
Un cœur d'enfant bien élevé,
Et pour un cerveau magnifique
Le mien n'est pas mal, vous savez!

Eh bien, ayant pleuré l'Histoire,
J'ai voulu vivre un brin heureux ;
C'était trop demander, faut croire ;
J'avais l'air de parler hébreu.

Ah ! tiens, mon cœur, de grâce, laisse !
Lorsque j'y songe, en vérité,
J'en ai des sueurs de faiblesse,
A choir dans la malpropreté.

Le cœur me piaffe de génie
Éperdûment pourtant, mon Dieu !
Et si quelqu'une veut ma vie,
Moi je ne demande pas mieux !

Eh va, pauvre âme véhémente !
Plonge, être, en leurs Jourdains blasés,
Deux frictions de vie courante
T'auront bien vite exorcisé.

Hélas, qui peut m'en répondre !
Tenez, peut-être savez-vous
Ce que c'est qu'une âme hypocondre ?
J'en suis une dans les prix doux.

O Hélène, j'erre en ma chambre ;
Et tandis que tu prends le thé,
Là-bas, dans l'or d'un fier septembre,
Je frissonne de tous mes membres,
En m'inquiétant de ta santé.

Tandis que, d'un autre côté...

SIESTE ÉTERNELLE

Le blanc soleil de juin amollit les trottoirs.
Sur mon lit, seul, prostré comme en ma sépulture
(Close de rideaux blancs, œuvre d'une main pure),
Je râle doucement aux extases des soirs.

Un relent énervant expire d'un mouchoir
Et promène sur mes lèvres sa chevelure
Et comme un piano voisin rêve en mesure,
Je tournoie au concert rythmé des encensoirs.

Tout est un songe. Oh ! viens, corps soyeux que j'adore,
Fondons-nous, et sans but, plus oublieux encore ;
Et tiédis longuement ainsi mes yeux fermés.

Depuis l'éternité, croyez-le bien, Madame,
L'Archet qui sur nos nefs pince ses tristes gammes
Appelait pour ce jour nos atomes charmés.

1. Bien qu'antérieurs aux *Complaintes*, les textes de ce recueil ont paru après la mort de Laforgue.

PIERROTS

(On a des principes.)

Elle disait, de son air vain fondamental :
« Je t'aime pour toi seul ! » — Oh ! là, là, grêle histoire ;
Oui, comme l'art ! Du calme, ô salaire illusoire
        Du capitaliste l'Idéal !

Elle faisait : « J'attends, me voici, je sais pas »...
Le regard pris de ces larges candeurs des lunes ;
— Oh ! là, là, ce n'est pas peut-être pour des prunes,
        Qu'on a fait ses classes ici-bas ?

Mais voici qu'un beau soir, infortunée à point,
Elle meurt ! — Oh ! là, là ; bon, changement de thème !
On sait que tu dois ressusciter le troisième
        Jour, sinon en personne, du moins

Dans l'odeur, les verdures, les eaux des beaux mois !
Et tu iras, levant encor bien plus de dupes
Vers le Zaïmph de la Joconde, vers la Jupe !
        Il se pourra même que j'en sois.

Des fleurs de bonne volonté
(1890 [1])

DIMANCHES

Oh! ce piano, ce cher piano,
Qui jamais, jamais ne s'arrête,
Oh! ce piano qui geint là-haut
Et qui s'entête sur ma tête!

Ce sont de sinistres polkas,
Et des romances pour concierge,
Des exercices délicats,
Et *La Prière d'une vierge!*

Fuir? où aller, par ce printemps?
Dehors, dimanche, rien à faire...
Et rien à fair' non plus dedans...
Oh! rien à faire sur la Terre!...

Ohé, jeune fille au piano!
Je sais que vous n'avez point d'âme!
Puis pas donner dans le panneau
De la nostalgie de vos gammes...

Fatals bouquets du Souvenir,
Folles légendes décaties,
Assez! assez! vous vois venir,
Et mon âme est bientôt partie...

Vrai, un Dimanche sous ciel gris,
Et je ne fais plus rien qui vaille,
Et le moindre orgu' de Barbari
(Le pauvre!) m'empoigne aux entrailles!

Et alors, je me sens trop fou!
Marié, je tuerais la bouche
De ma mie! et, à deux genoux,
Je lui dirais ces mots bien louches:

« Mon cœur est trop, ah trop central!
« Et toi, tu n'es que chair humaine;
« Tu ne vas donc pas trouver mal
« Que je te fasse de la peine!»

---

1. Composés en 1886 et en 1887, dernière année de la vie de Laforgue, les poèmes réunis sous ce titre ont paru après sa mort, publiés par les soins de Félix Fénéon.

ALPHONSE DE LAMARTINE

1790-1869

L'ISOLEMENT

Souvent sur la montagne, à l'ombre du vieux chêne,
Au coucher du soleil, tristement je m'assieds;
Je promène au hasard mes regards sur la plaine,
Dont le tableau changeant se déroule à mes pieds.

Ici, gronde le fleuve aux vagues écumantes,
Il serpente, et s'enfonce en un lointain obscur;
Là, le lac immobile étend ses eaux dormantes
Où l'étoile du soir se lève dans l'azur.

Au sommet de ces monts couronnés de bois sombres,
Le crépuscule encor jette un dernier rayon,
Et le char vaporeux de la reine des ombres
Monte, et blanchit déjà les bords de l'horizon.

Cependant, s'élançant de la flèche gothique,
Un son religieux se répand dans les airs,
Le voyageur s'arrête, et la cloche rustique
Aux derniers bruits du jour mêle de saints concerts.

Mais à ces doux tableaux mon âme indifférente
N'éprouve devant eux ni charme, ni transports,
Je contemple la terre, ainsi qu'une ombre errante:
Le soleil des vivants n'échauffe plus les morts.

De colline en colline en vain portant ma vue,
Du sud à l'aquilon, de l'aurore au couchant,
Je parcours tous les points de l'immense étendue,
Et je dis : Nulle part le bonheur ne m'attend.

Que me font ces vallons, ces palais, ces chaumières ?
Vains objets dont pour moi le charme est envolé ;
Fleuves, rochers, forêts, solitudes si chères,
Un seul être vous manque, et tout est dépeuplé.

Que le tour du soleil ou commence ou s'achève,
D'un œil indifférent je le suis dans son cours ;
En un ciel sombre ou pur qu'il se couche ou se lève,
Qu'importe le soleil ? Je n'attends rien des jours.

Quand je pourrais le suivre en sa vaste carrière,
Mes yeux verraient partout le vide et les déserts ;
Je ne désire rien de tout ce qu'il éclaire,
Je ne demande rien à l'immense univers.

Mais peut-être au-delà des bornes de sa sphère,
Lieux où le vrai soleil éclaire d'autres cieux,
Si je pouvais laisser ma dépouille à la terre,
Ce que j'ai tant rêvé paraîtrait à mes yeux ?

Là, je m'enivrerais à la source où j'aspire,
Là, je retrouverais et l'espoir et l'amour,
Et ce bien idéal que toute âme désire,
Et qui n'a pas de nom au terrestre séjour !

Que ne puis-je, porté sur le char de l'aurore,
Vague objet de mes vœux, m'élancer jusqu'à toi,
Sur la terre d'exil pourquoi resté-je encore ?
Il n'est rien de commun entre la terre et moi.

Quand la feuille des bois tombe dans la prairie,
Le vent du soir s'élève et l'arrache aux vallons ;
Et moi, je suis semblable à la feuille flétrie :
Emportez-moi comme elle, orageux aquilon !

LE VALLON

Mon cœur, lassé de tout, même de l'espérance,
N'ira plus de ses vœux importuner le sort ;
Prêtez-moi seulement, vallons de mon enfance,
Un asile d'un jour pour attendre la mort.

Voici l'étroit sentier de l'obscure vallée :
Du flanc de ces coteaux pendent des bois épais
Qui, courbant sur mon front leur ombre entremêlée,
Me couvrent tout entier de silence et de paix.

Là, deux ruisseaux cachés sous des ponts de verdure
Tracent en serpentant les contours du vallon ;
Ils mêlent un moment leur onde et leur murmure,
Et non loin de leur source ils se perdent sans nom.

La source de mes jours comme eux s'est écoulée,
Elle a passé sans bruit, sans nom, et sans retour :
Mais leur onde est limpide, et mon âme troublée
N'aura pas réfléchi les clartés d'un beau jour.

La fraîcheur de leurs lits, l'ombre qui les couronne,
M'enchaînent tout le jour sur les bords des ruisseaux ;
Comme un enfant bercé par un chant monotone,
Mon âme s'assoupit au murmure des eaux.

Ah ! c'est là qu'entouré d'un rempart de verdure,
D'un horizon borné qui suffit à mes yeux,
J'aime à fixer mes pas, et, seul dans la nature,
A n'entendre que l'onde, à ne voir que les cieux.

J'ai trop vu, trop senti, trop aimé dans ma vie,
Je viens chercher vivant le calme du Léthé ;
Beaux lieux, soyez pour moi ces bords où l'on oublie :
L'oubli seul désormais est ma félicité.

Mon cœur est en repos, mon âme est en silence !
Le bruit lointain du monde expire en arrivant,
Comme un son éloigné qu'affaiblit la distance,
A l'oreille incertaine apporté par le vent.

D'ici je vois la vie, à travers un nuage,
S'évanouir pour moi dans l'ombre du passé ;
L'amour seul est resté : comme une grande image
Survit seule au réveil dans un songe effacé.

Repose-toi, mon âme, en ce dernier asile,
Ainsi qu'un voyageur, qui, le cœur plein d'espoir,
S'assied avant d'entrer aux portes de la ville,
Et respire un moment l'air embaumé du soir.

Comme lui, de nos pieds secouons la poussière ;
L'homme par ce chemin ne repasse jamais :
Comme lui, respirons au bout de la carrière
Ce calme avant-coureur de l'éternelle paix.

Tes jours, sombres et courts comme des jours d'automne,
Déclinent comme l'ombre au penchant des coteaux ;
L'amitié te trahit, la pitié t'abandonne,
Et, seule, tu descends le sentier des tombeaux.

Mais la nature est là qui t'invite et qui t'aime;
Plonge-toi dans son sein qu'elle t'ouvre toujours;
Quand tout change pour toi, la nature est la même,
Et le même soleil se lève sur tes jours.

De lumière et d'ombrage elle t'entoure encore;
Détache ton amour des faux biens que tu perds;
Adore ici l'écho qu'adorait Pythagore,
Prête avec lui l'oreille aux célestes concerts.

Suis le jour dans le ciel, suis l'ombre sur la terre,
Dans les plaines de l'air vole avec l'aquilon,
Avec les doux rayons de l'astre du mystère
Glisse à travers les bois dans l'ombre du vallon.

LE LAC

Ainsi, toujours poussés vers de nouveaux rivages,
Dans la nuit éternelle emportés sans retour,
Ne pourrons-nous jamais sur l'océan des âges
   Jeter l'ancre un seul jour ?

O lac ! l'année à peine à fini sa carrière,
Et près des flots chéris qu'elle devait revoir,
Regarde ! je viens seul m'asseoir sur cette pierre
   Où tu la vis s'asseoir !

Tu mugissais ainsi sous ces roches profondes,
Ainsi tu te brisais sur leurs flancs déchirés,
Ainsi le vent jetait l'écume de tes ondes
   Sur ses pieds adorés.

Un soir, t'en souvient-il ? nous voguions en silence ;
On n'entendait au loin, sur l'onde et sous les cieux,
Que le bruit des rameurs qui frappent en cadence
   Tes flots harmonieux.

Tout à coup des accents inconnus à la terre
Du rivage charmé frappèrent les échos :
Le flot fut attentif, et la voix qui m'est chère
   Laissa tomber ces mots :

« O temps ! suspends ton vol, et vous, heures propices !
            Suspendez votre cours :
Laissez-nous savourer les rapides délices
            Des plus beaux de nos jours !

« Assez de malheureux ici-bas vous implorent,
            Coulez, coulez pour eux ;
Prenez avec leurs jours les soins qui les dévorent,
            Oubliez les heureux.

« Mais je demande en vain quelques moments encore,
            Le temps m'échappe et fuit ;
Je dis à cette nuit : Sois plus lente ; et l'aurore
            Va dissiper la nuit.

« Aimons donc, aimons donc ! de l'heure fugitive,
            Hâtons-nous, jouissons !
L'homme n'a point de port, le temps n'a point de rive ;
            Il coule, et nous passons ! »

Temps jaloux, se peut-il que ces moments d'ivresse,
Où l'amour à longs flots nous verse le bonheur,
S'envolent loin de nous de la même vitesse
            Que les jours de malheur ?

Eh quoi ! n'en pourrons-nous fixer au moins la trace ?
Quoi ! passés pour jamais ! quoi ! tout entiers perdus !
Ce temps qui les donna, ce temps qui les efface,
            Ne nous les rendra plus !

Éternité, néant, passé, sombres abîmes,
Que faites-vous des jours que vous engloutissez ?
Parlez : nous rendez-vous ces extases sublimes
            Que vous nous ravissez ?

O lac ! rochers muets ! grottes ! forêt obscure !
Vous, que le temps épargne ou qu'il peut rajeunir,
Gardez de cette nuit, gardez, belle nature,
            Au moins le souvenir !

Qu'il soit dans ton repos, qu'il soit dans tes orages,
Beau lac, et dans l'aspect de tes riants coteaux,
Et dans ces noirs sapins, et dans ces rocs sauvages
    Qui penchent sur tes eaux.

Qu'il soit dans le zéphyr qui frémit et qui passe,
Dans les bruits de tes bords par tes bords répétés,
Dans l'astre au front d'argent qui blanchit ta surface
    De ses molles clartés.

Que le vent qui gémit, le roseau qui soupire,
Que les parfums légers de ton air embaumé,
Que tout ce qu'on entend, l'on voit ou l'on respire,
    Tout dise : Ils ont aimé !

VALERY LARBAUD

1881-1957

Les extraits de Valéry Larbaud qui suivent sont tirés
des Poésies de A. O. Barnabooth
et reproduits avec l'autorisation des éditions Gallimard.

Poésies de A. O. BARNABOOTH
(1913)

ODE

Prête-moi ton grand bruit, ta grande allure si douce,
Ton glissement nocturne à travers l'Europe illuminée,
O train de luxe ! et l'angoissante musique
Qui bruit le long de tes couloirs de cuir doré,
Tandis que derrière les portes laquées, aux loquets de cuivre
    lourd,
Dorment les millionnaires.
Je parcours en chantonnant tes couloirs
Et je suis ta course vers Vienne et Budapesth,
Mêlant ma voix à tes cent mille voix,
O Harmonika-Zug !

J'ai senti pour la première fois toute la douceur de vivre,
Dans une cabine du Nord-Express, entre Wirballen et Pskow.
On glissait à travers des prairies où des bergers,
Au pied de groupes de grands arbres pareils à des collines,
Étaient vêtus de peaux de moutons crues et sales...
(Huit heures du matin en automne, et la belle cantatrice
Aux yeux violets chantait dans la cabine à côté.)

Et vous, grandes glaces à travers lesquelles j'ai vu passer La
    Sibérie et les monts du Samnium,
La Castille âpre et sans fleurs, et la mer de Marmara sous une
    pluie tiède !

Prêtez-moi, ô Orient-Express, Sud-Brenner-Bahn, prêtez-moi
Vos miraculeux bruits sourds et
Vos vibrantes voix de chanterelle ;
Prêtez-moi la respiration légère et facile
Des locomotives hautes et minces, aux mouvements
Si aisés, les locomotives des rapides,
Précédant sans effort quatre wagons jaunes à lettres d'or
Dans les solitudes montagnardes de la Serbie,
Et plus loin, à travers la Bulgarie pleine de roses...

Ah ! il faut que ces bruits et que ce mouvement
Entrent dans mes poèmes et disent
Pour moi ma vie indicible, ma vie
D'enfant qui ne veut rien savoir, sinon
Espérer éternellement des choses vagues.

MERS-EL-KEBIR

J'aime ce village, où sous les orangers,
Sans se voir, deux jeunes filles se disent leurs amours
Sur deux infiniment plaintives mandolines.
Et j'aime cette auberge, car les servantes, dans la cour,
Chantent dans la douceur du soir cet air si doux
De la « Paloma ». Écoutez la paloma qui bat de l'aile...
Désir de mon village à moi, si loin; nostalgie
Des antipodes, de la grande avenue des volcans immenses;
O larmes qui montez, lavez tous mes pêchés!
Je suis la paloma meurtrie, je suis les orangers,
Et je suis cet instant qui passe et le soir africain;
Mon âme et les voix unies des mandolines.

Poésies de A. O. Barnabooth

SCHEVENINGUE, MORTE-SAISON

Dans le clair petit bar aux meubles bien cirés,
Nous avons longuement bu des boissons anglaises;
C'était intime et chaud sous les rideaux tirés.
Dehors le vent de mer faisait trembler les chaises.

On eût dit un fumoir de navire ou de train:
J'avais le cœur serré comme quand on voyage;
J'étais tout attendri, j'étais doux et lointain;
J'étais comme un enfant plein d'angoisse et très sage.

Cependant, tout était si calme autour de nous!
Des gens, près du comptoir, faisaient des confidences.
Oh, comme on est petit, comme on est à genoux,
Certains soirs, vous sentant si près, ô flots immenses!

Poésies de A. O. Barnabooth

OLIVIER LARRONDE

1927-1966

Les extraits d'Olivier Larronde qui suivent sont tirés de
Rien voilà l'ordre *et reproduits*
avec l'autorisation de Marc Barbezat, L'Arbalète : Decines (Isère).

MIGRATEUR PRIS

Mortes couleurs de mauvais temps
Novembre en plumes de voyage
— Autant en portent les autans —
Seuls des vols reste ce langage
Pris à la source en la quittant
Dont un reflet tenait en cage
Sourire outremer des printemps.

L'ASTRONOME DU NAVIRE « SYLVAINE »

Que d'élégantes chairs habillent ton squelette !
O dentelle absolue, toute solidité :
L'Armature — et ton sein se gonfle de beauté,
Navire d'existence à l'utile toilette.

Heureux qui dans tes bras suit voiles et voilettes
Qu'il brise enfin la coupe au vin d'anxiété
A dénouer ton corps de l'ivoire habité,
Tes courbes et son bras que marie la tempête.

Plus heureux l'astronome accepté par tes yeux
Les souffles de choisir pour ta poitrine avide
Et converser avec tes yeux silencieux,
Changeants, folle toilette au plus humain des vides.

Élu, pour choisir vents et courants, sans mentir
J'irais droit à l'apothéose où t'engloutir.

4 septembre 1951

LES DISTANCES

Un peu là et beaucoup ailleurs
Toi ou, qui sait, moi si te pare
Du doigt d'horizon qui sépare
En musique de nos grandeurs.

La vague où pencha ton sourire
C'était moi ta belle avenue...
Ou ne fus-je que les pieds nus
Sur sa pente à n'en plus finir ?

Divisons-nous — on le saura !
Change la pierre en son tailleur :
L'un-ni-l'autre se posera
Sur un entrelac de sourires
Un peu là
        et beaucoup ailleurs.

CONCERTANT

Concertons-nous au beau concert de nos plaies.
C'est la mesure consolée.
Pour une voix nouvelle venue des dents du
jour déconcertons cette rangée translucide : faisons de
nous une gamme plus puissamment souple en empoignant cette
voix, pour lui montrer la voie où elle s'agenouille et depuis
laquelle tout n'a pu qu'être concerté.
... Mieux que la raison roide comme une échelle.
Et aucune palpitation, même au passé, qui n'agrandisse la Mesure sans complaisance.

GILBERT LELY

1904-1985

LA PAROLE ET LE FROID

L'homme qui vient d'atteindre l'âge où il doit bientôt *se quitter*

Saisira toute occasion de rester seul à seul avec lui-même.

(Cet âge où l'avenir n'est que d'une semaine, renouvelable par arbitraire reconduction.)

Une fois, ayant traversé, venu du métro Blanche, le pont Caulaincourt,

Puis erré poétiquement en des lieux qui nous avaient vus jadis avec des girls de cabaret,

L'aristocratique Pierre Herbart et moi-même, étincelants de nos dix-huit années,

Je suis redescendu pour visiter la sépulture qui sera un jour ma prison.

Toute neuve, dans la partie sud-est du cimetière Montmartre longeant la rue Joseph de Maistre,

Non loin des cendres rassurantes du danseur Vestris et de sa femme, qui jouait les princesses de tragédie en 1780.

Comme je regardais ma pierre tombale, sans millésime, sans nom ni prénom gravés en or,

Il me vint fantasquement à l'esprit que, vivant, j'étais en quelque sorte *broché*,

Conscrit de Perséphone soudoyé par l'évidence,

Mais que *relié* je serai demain dans ce granit albigeois.

Puis à mon livre je songeai : chaque phrase vingt fois récrite,

Parce qu'il n'est rien d'ineffable au prix d'un long acharnement.

Alors cette idée du poème : moins intraitable que la vie, il permet qu'on le recommence.

Le jour s'affaiblissait autour des chapelles ruinées.

« Bonne nuit, doux prince », dis-je à mes mânes futurs.

Je m'éloignai du plus spectral des cimetières, avec la lèpre de ses dalles et ses bivouacs d'arbres perdus.

C'était en l'immobile octobre. A pas lents, je marchai dans la ville.

Rue Pigalle, je crus voir se dresser, aussi haute que les maisons, l'image d'un objet funestement aimé.

Elle reprit mesure humaine, pâle fille vêtue de sombre, debout contre un vitrail aux lueurs proxénètes.

Œuvres poétiques

HENRY JEAN-MARIE LEVET

1874-1906

Cartes postales

OUTWARDS

A Francis Jammes.

L'*Armand-Béhic* (des Messageries Maritimes)
File quatorze nœuds sur l'océan Indien...
Le soleil se couche en des confitures de crimes,
Dans cette mer plate comme avec la main.

— Miss Roseway, qui se rend à Adélaïde,
Vers le *Sweet Home* au fiancé australien,
Miss Roseway, hélas, n'a cure de mon spleen ;
Sa lorgnette sur les Laquedives, au loin...

— Je vais me préparer — sans entrain ! — pour la fête
De ce soir : sur le pont, lampions, danses, romances
(Je dois accompagner Miss Roseway qui quête

— Fort gentiment — pour les familles des marins
Naufragés !). Oh, qu'en une valse lente, ses reins
A mon bras droit, je l'entraîne sans violence

Dans un naufrage où Dieu reconnaîtrait les siens...

POSSESSION FRANÇAISE

A la mémoire de Laura Lopez.

On se souvient de la chapelle des *Goyaves*
Où dorment deux mille dimanches des Antilles,
De la viduité harmonieuse du havre,
Et de la musique, du temps, du temps vieillot des résilles...

— Colonie d'où l'aventurier revenait pauvre ! —
Les enfants demi-nus jouaient, et leurs cris
Sourdaient, familiers comme les bougainvilliers mauves,
De la vérandah et de la terrasse aux lourds murs gris...

— Et les picnics du dimanche au Gros-Morne ?
— Ils ont vécu, les bons vieux romans qu'orne
La jeune Créole, lente, aux mœurs légères...

Ces enfants sont partis et leurs parents sont morts —
Et maintenant dans la petite colonie morte
Il ne reste plus que quelques fonctionnaires...

LA PLATA

A Ruben Dario.

Ni les attraits des plus aimables Argentines,
Ni les courses à cheval dans la pampa,
N'ont le pouvoir de distraire de son spleen
Le Consul général de France à La Plata !

On raconte tout bas l'histoire du pauvre homme :
Sa vie fut traversée d'un fatal amour,
Et il prit la funeste manie de l'opium ;
Il occupait alors le poste à Singapoore…

— Il aime à galoper par nos plaines amères,
Il jalouse la vie sauvage du gaucho,
Puis il retourne vers son palais consulaire,
Et sa tristesse le drape comme un poncho…

Il ne s'aperçoit pas, je n'en suis pas trop sûre,
Que Lolita Valdez le regarde en souriant,
Malgré sa tempe qui grisonne, et sa figure
Ravagée par les fièvres d'Extrême-Orient…

LA PLATA

À Rubén Darío

Ni les charmes des plus aimables Argentines,
Ni les courses à cheval dans la pampa,
N'ont le pouvoir de distraire de son spleen
Le Consul général de France à La Plata!

On raconte tout bas l'histoire du pauvre homme:
Sa vie fut traversée d'un fatal amour;
Et il prit la funeste manie de l'opium
Il occupait alors le poste à Singapore.

Il aime à galoper par nos plaines amères,
Il jalouse la vie sauvage du gaucho,
Puis il retourne vers son palais consulaire,
Et sa tristesse le drape comme un poncho.

Il ne s'aperçoit pas, je n'en suis pas trop sûre,
Que Lolita Valdez le regarde en souriant,
Malgré sa tempe qui grisonne, et sa figure
Ravagée par les fièvres d'Extrême-Orient...

PIERRE LOUŸS

1870-1925

PSYCHÉ

Psyché, ma sœur, écoute immobile, et frissonne...
Le bonheur vient, nous touche et nous parle à genoux.
Pressons nos mains. Sois grave. Écoute encor... Personne
N'est plus heureux ce soir, n'est plus divin que nous.

Une immense tendresse attire à travers l'ombre
Nos yeux presque fermés. Que reste-t-il encor
Du baiser qui s'apaise et du soupir qui sombre ?
La vie a retourné notre sablier d'or.

C'est notre heure éternelle, éternellement grande,
L'heure qui va survivre à l'éphémère amour
Comme un voile embaumé de rose et de lavande
Conserve après cent ans la jeunesse d'un jour.

Plus tard, ô ma beauté, quand des nuits étrangères
Auront passé sur vous qui ne m'attendrez plus,
Quand d'autres s'il se peut, amie aux mains légères,
Jaloux de mon prénom, toucheront vos pieds nus,

Rappelez-vous qu'un soir nous vécûmes ensemble
L'heure unique où les dieux accordent, un instant,
A la tête qui penche, à l'épaule qui tremble,
L'esprit pur de la vie en fuite avec le temps.

Rappelez-vous qu'un soir couchés sur notre couche,
En caressant nos doigts frémissants de s'unir,
Nous avons échangé de la bouche à la bouche
La perle impérissable où dort le souvenir.

MAURICE MAETERLINCK

1862-1949

L'extrait de Maurice Maeterlinck qui suit est reproduit avec l'autorisation de la Société des gens de lettres de France.

SERRE CHAUDE

O serre au milieu des forêts !
Et vos portes à jamais closes !
Et tout ce qu'il y a sous votre coupole !
Et sous mon âme en vos analogies !

Les pensées d'une princesse qui a faim,
L'ennui d'un matelot dans le désert,
Une musique de cuivre aux fenêtres des incurables.

Allez aux angles les plus tièdes !
On dirait une femme évanouie un jour de moisson ;
Il y a des postillons dans la cour de l'hospice ;
Au loin, passe un chasseur d'élans, devenu infirmier.

Examinez au clair de lune !
(Oh rien n'y est à sa place !)
On dirait une folle devant les juges,
Un navire de guerre à pleines voiles sur un canal,
Des oiseaux de nuit sur des lys,
Un glas vers midi,
(Là-bas sous ces cloches !)
Une étape de malades dans la prairie,
Une odeur d'éther un jour de soleil.

Mon Dieu ! mon Dieu, quand aurons-nous la pluie,
Et la neige et le vent dans la serre !

Serres chaudes

FRANÇOIS DE MALHERBE

1555-1628

LES LARMES DE SAINT PIERRE,
IMITÉES DU TANSILLE, ET DÉDIÉES AU ROI,
PAR LE SIEUR MALHERBE

. . . .

En ces propos mourants ses complaintes se meurent,
Mais vivantes sans fin ses angoisses demeurent,
Pour le faire en langueur à jamais consumer :
Tandis la nuit s'en va, ses chandelles s'éteignent,
Et déjà devant lui les campagnes se peignent
Du safran que le jour apporte de la mer.

L'Aurore d'une main en sortant de ses portes,
Tient un vase de fleurs languissantes et mortes :
Elle verse de l'autre une cruche de pleurs,
Et d'un voile tissu de vapeur et d'orage
Couvrant ses cheveux d'or découvre en son visage
Tout ce qu'une âme sent de cruelles douleurs.

DESSEIN DE QUITTER UNE DAME
QUI NE LE CONTENTAIT QUE DE PROMESSE

Beauté, mon beau souci, de qui l'âme incertaine
A comme l'Océan son flux et son reflux :
Pensez de vous résoudre à soulager ma peine,
Ou je me vais résoudre à ne la souffrir plus [1].

Vos yeux ont des appas que j'aime et que je prise,
Et qui peuvent beaucoup dessus ma liberté :
Mais pour me retenir, s'ils font cas de ma prise,
Il leur faut de l'amour autant que de beauté.

Quand je pense être au point que cela s'accomplisse,
Quelque excuse toujours en empêche l'effet :
C'est la toile sans fin de la femme d'Ulysse,
Dont l'ouvrage du soir au matin se défait.

Madame, avisez-y, vous perdez votre gloire
De me l'avoir promis et vous rire de moi,
S'il ne vous en souvient vous manquez de mémoire,
Et s'il vous en souvient vous n'avez point de foi.

J'avais toujours fait compte aimant chose si haute,
De ne m'en séparer qu'avecque le trépas,
S'il arrive autrement ce sera votre faute,
De faire des serments et ne les tenir pas.

---

1. Certaines éditions donnent : *Ou je me résoudrai de ne le souffrir plus.*

AUX OMBRES DE DAMON

. . . .

L'Orne comme autrefois nous reverrait encore,
Ravis de ces pensers que le vulgaire ignore,
Égarer à l'écart nos pas et nos discours ;
Et couchés sur les fleurs comme étoiles semées,
Rendre en si doux ébat les heures consumées,
      Que les soleils nous seraient courts.

Mais, ô loi rigoureuse à la race des hommes,
C'est un point arrêté, que tout ce que nous sommes,
Issus de pères rois et de pères bergers,
La Parque également sous la tombe nous serre,
Et les mieux établis au repos de la terre,
      N'y sont qu'hôtes et passagers.

Tout ce que la grandeur a de vains équipages,
D'habillements de pourpre, et de suite de pages,
Quand le terme est échu n'allonge point nos jours ;
Il faut aller tous nus où le destin commande ;
Et de toutes douleurs, la douleur la plus grande
      C'est qu'il faut laisser nos amours.

Amours qui la plupart infidèles et feintes,
Font gloire de manquer à nos cendres éteintes,
Et qui plus que l'honneur estimant le plaisir,
Sous le masque trompeur de leurs visages blêmes,
Acte digne de foudre! en nos obsèques mêmes
      Conçoivent de nouveaux désirs.

. . . .

CONSOLATION A MONSIEUR DU PÉRIER,
GENTILHOMME D'AIX-EN-PROVENCE,
SUR LA MORT DE SA FILLE

Ta douleur, du Périer, sera donc éternelle,
    Et les tristes discours
Que te met en l'esprit l'amitié paternelle
    L'augmenteront toujours ?

Le malheur de ta fille au tombeau descendue
    Par un commun trépas,
Est-ce quelque dédale, où ta raison perdue
    Ne se retrouve pas ?

Je sais de quels appas son enfance était pleine,
    Et n'ai pas entrepris,
Injurieux ami, de soulager ta peine
    Avecque son mépris.

Mais elle était du monde, où les plus belles choses
    Ont le pire destin :
Et rose elle a vécu ce que vivent les roses,
    L'espace d'un matin.

Puis quand ainsi serait, que selon ta prière
    Elle aurait obtenu
D'avoir en cheveux blancs terminé sa carrière,
    Qu'en fût-il advenu ?

Penses-tu que plus vieille en la maison céleste,
        Elle eût eu plus d'accueil ?
Ou qu'elle eût moins senti la poussière funeste,
        Et les vers du cercueil ?

Non, non, mon du Périer, aussitôt que la Parque
        Ote l'âme du corps,
L'âge s'évanouit au-deçà de la barque
        Et ne suit point les morts.

Tithon n'a plus les ans qui le firent cigale :
        Et Pluton aujourd'hui,
Sans égard du passé les mérites égale
        D'Archémore et de lui.

Ne te lasse donc plus d'inutiles complaintes :
        Mais sage à l'avenir,
Aime une ombre comme ombre, et de cendres éteintes
        Éteins le souvenir.

C'est bien, je le confesse, une juste coutume,
        Que le cœur affligé
Par le canal des yeux vuidant son amertume
        Cherche d'être allégé.

Même quand il advient que la tombe sépare
        Ce que Nature a joint,
Celui qui ne s'émeut a l'âme d'un Barbare,
        Ou n'en a du tout point.

Mais d'être inconsolable, et dedans sa mémoire
        Enfermer un ennui,
N'est-ce pas se haïr pour acquérir la gloire
        De bien aimer autrui ?
. . . .

De moi déjà deux fois d'une pareille foudre
    Je me suis vu perclus,
Et deux fois la raison m'a si bien fait résoudre,
    Qu'il ne m'en souvient plus.

Non, qu'il ne me soit grief que la tombe possède
    Ce qui me fut si cher :
Mais en un accident qui n'a point de remède
    Il n'en faut point chercher.

La mort a des rigueurs à nulle autre pareilles :
    On a beau la prier,
La cruelle qu'elle est, se bouche les oreilles,
    Et nous laisse crier.

Le pauvre en sa cabane, où le chaume le couvre,
    Est sujet à ses lois :
Et la garde qui veille aux barrières du Louvre
    N'en défend point nos rois.

De murmurer contre elle, et perdre patience,
    Il est mal à propos :
Vouloir ce que Dieu veut est la seule science,
    Qui nous met en repos.

IMITATION DU PSAUME
« LAUDA ANIMA MEA DOMINUM »

N'espérons plus mon âme, aux promessès du monde,
Sa lumière est un verre, et sa faveur une onde,
Que toujours quelque vent empêche de calmer,
Quittons ses vanités, lassons-nous de les suivre :
   C'est Dieu qui nous fait vivre
   C'est Dieu qu'il faut aimer.

En vain pour satisfaire à nos lâches envies,
Nous passons près des rois tout le temps de nos vies,
A souffrir des mépris et ployer les genoux,
Ce qu'ils peuvent n'est rien : ils sont comme nous sommes
   Véritablement hommes,
   Et meurent comme nous.

Ont-ils rendu l'esprit, ce n'est plus que poussière
Que cette Majesté si pompeuse et si fière
Dont l'éclat orgueilleux étonne l'univers,
Et dans ces grands tombeaux où leurs âmes hautaines
   Font encore les vaines
   Ils sont mangés des vers.

Là se perdent ces noms de maîtres de la terre,
D'arbitres de la paix, de foudres de la guerre :
Comme ils n'ont plus de sceptre ils n'ont plus de flatteurs :
Et tombent avecque eux d'une chute commune
                    Tous ceux que leur fortune
                    Faisait leurs serviteurs.

SONNET

Çà, çà pour le dessert troussez-moi votre cotte,
Vite, chemise et tout, qu'il n'y demeurè rien
Qui me puisse empêcher de reconnaître bien
Du plus haut du nombril jusqu'au bas de'la motte.

Voyons ce traquenard qui se pique sans botte,
Et me laissez à part tout ce grave maintien,
Suis-je pas votre cœur, êtes-vous pas le mien,
C'est bien avecque moi qu'il faut faire la sotte.

— Mon cœur, il est bien vrai, mais vous en prenez trop,
Remettez-vous au pas et quittez ce galop,
— Ma belle, laissez-moi, c'est à vous de vous taire.

— Ma foi vous vous gâtez en sortant du repas.
— Belle, vous dites vrai, mais se pourrait-il faire
De voir un si beau c.. et ne le f..tre pas?

STÉPHANE MALLARMÉ

1842-1898

references de l'eau / eternity +

L'ondé cleveux mis ave sers de l'idéal

TRISTESSE D'ÉTÉ

Le soleil, sur le sable, ô lutteuse endormie,
En l'or de tes cheveux chauffe un bain langoureux
Et, consumant l'encens sur ta joue ennemie,
Il mêle avec les pleurs un breuvage amoureux.

De ce blanc flamboiement l'immuable accalmie
T'a fait dire, attristée, ô mes baisers, peureux,
« Nous ne serons jamais une seule momie
Sous l'antique désert et les palmiers heureux ! »

Mais ta chevelure est une rivière tiède,
Où noyer sans frissons l'âme qui nous obsède
Et trouver ce Néant que tu ne connais pas !

Je goûterai le fard pleuré par tes paupières,
Pour voir s'il sait donner au cœur que tu frappas
L'insensibilité de l'azur et des pierres.

vision of true ad. eternity

demand à elle de le mettre comme un pierres

N'a pas
abilité d'écrire
il est agité

emptyness - blank
spaces

BRISE MARINE

La chair est triste, hélas! et j'ai lu tous les livres.
Fuir! là-bas fuir! Je sens que des oiseaux sont ivres
D'être parmi l'écume inconnue et les cieux!
Rien, ni les vieux jardins reflétés par les yeux
Ne retiendras ce cœur qui dans la mer se trempe
O nuits! ni la clarté déserte de ma lampe
Sur le vide papier que la blancheur défend
Et ni la jeune femme allaitant son enfant.
Je partirai! Steamer balançant ta mâture,
Lève l'ancre pour une exotique nature!

Un Ennui, désolé par les cruels espoirs,
Croit encore à l'adieu suprême des mouchoirs!
Et, peut-être, les mâts, invitant les orages
Sont-ils de ceux qu'un vent penche sur les naufrages
Perdus, sans mâts, sans mâts, ni fertiles îlots...
Mais, ô mon cœur, entends le chant des matelots!

Je miroir - tu peut vou - mais
tu ne peut pas entrer

Si tu veux nous nous aimerons
Avec tes lèvres sans le dire
Cette rose ne l'interromps
Qu'à verser un silence pire

Jamais de chants ne lancent prompts
Le scintillement du sourire
Si tu veux nous nous aimerons
Avec tes lèvres sans le dire

Muet muet entre les ronds
Sylphe dans la pourpre d'empire
Un baiser flambant se déchire
Jusqu'aux pointes des ailerons
Si tu veux nous nous aimerons.

Le vierge, le vivace et le bel aujourd'hui
Va-t-il nous déchirer avec un coup d'aile ivre
Ce lac dur oublié que hante sous le givre
Le transparent glacier des vols qui n'ont pas fui !

Un cygne d'autrefois se souvient que c'est lui
Magnifique mais qui sans espoir se délivre
Pour n'avoir pas chanté la région où vivre
Quand du stérile hiver a resplendi l'ennui.

Tout son col secouera cette blanche agonie
Par l'espace infligé à l'oiseau qui le nie,
Mais non l'horreur du sol où le plumage est pris.

Fantôme qu'à ce lieu son pur éclat assigne,
Il s'immobilise au songe froid de mépris
Que vêt parmi l'exil inutile le Cygne.

LE TOMBEAU D'EDGAR POE

Tel qu'en Lui-même enfin l'éternité le change,
Le Poète suscite avec un glaive nu
Son siècle épouvanté de n'avoir pas connu
Que la mort triomphait dans cette voix étrange !

Eux, comme un vil sursaut d'hydre oyant jadis l'ange
Donner un sens plus pur aux mots de la tribu
Proclamèrent très haut le sortilège bu
Dans le flot sans honneur de quelque noir mélange.

Du sol et de la nue hostiles, ô grief !
Si notre idée avec ne sculpte un bas-relief
Dont la tombe de Poe éblouissante s'orne,

Calme bloc ici-bas chu d'un désastre obscur,
Que ce granit du moins montre à jamais sa borne
Aux noirs vols du Blasphème épars dans le futur.

PIERRE DE MARBEUF

1596-1635

Et la mer et l'amour ont l'amer pour partage,
Et la mer est amère, et l'amour est amer,
L'on s'abîme en l'amour aussi bien qu'en la mer
Car la mer et l'amour ne sont point sans orage.
Celui qui craint les eaux, qu'il demeure au rivage,
Celui qui craint les maux qu'on souffre pour aimer
Qu'il ne se laisse pas à l'amour enflammer,
Et tous deux ils seront sans hasard de naufrage.
La mère de l'amour eut la mer pour berceau,
Le feu sort de l'amour, sa mère sort de l'eau,
Mais l'eau contre le feu ne peut fournir des armes.
Si l'eau pouvait éteindre un brasier amoureux,
Ton amour qui me brûle est si fort douloureux
Que j'eusse éteint son feu de la mer de mes larmes.

CLÉMENT MAROT

1496-1544

LES GRACIEUX ADIEUX FAITZ AUX DAMES DE PARIS PAR MAISTRE CLEMENT MAROT VARLET DE CHAMBRE DU ROY NOTRE SOUVERAIN SEIGNEUR

Adieu Paris, la bonne ville :
Adieu de Meaulx la Janneton :
Adieu Lieutenande civile :
Adieu la Grive et Caqueton,
La Touchallone au dur teton,
Adieu vous dis, comme une trippe :
Adieu estroictes, ce dit on,
Adieu vous dis, comme une pippe.
    Adieu la dame de Victry,
Qui nous contrefaict bonne myne :
Adieu jusques à Sainct Marry :
Adieu Baignollet et Lespine,
La petite maistresse fine,
Adieu, comme gris de bureau.
Adieu Mollette, la blanchine,
Adieu vous dis, comme ung corbeau.
    Adieu la belle Ferronniere,
Puis qu'après nostre court allons :
Adieu la belle Heronnière :
Adieu la blanche aux cours tallons :
Adieu l'abbé et estallons,

Vos prothonotaires et bulles.
Adieu vos pigeons et coullons,
Adieu vous dis, mulle des mulles.

   Adieu les dames hors de chance,
Barbe d'Estas et de la Riviere :
Adieu ma dame de plaisance ;
Adieu Vicrourt, au combat fiere :
Adieu Guesdonne pautonniere,
Friande de chesnes et bracellectz ;
Adieu la belle Quadraniere
Et les lingeres du Palays.

   Prince d'amours, adieu vous dis :
N'arrestez les mignons de Court
Qui partent ce jourd'huy de Paris,
Pour leur argent, qui est trop court.

ADIEUX A LA VILLE DE LYON

Adieu Lyon qui ne mors point,
Lyon plus doulx que cent pucelles,
Sinon quand l'ennemy te poingt :
Alors ta fureur point ne celles.
Adieu aussy à toutes celles
Qui embellissent ton sejour ;
Adieu, faces claires et belles,
Adieu vous dy, comme le jour.

Adieu, cité de grand valleur,
Et citoyens que j'ayme bien.
Dieu vous doint la fortune et l'heur
Meilleur que n'a esté le mien.
J'ay de vous receu tant de bien,
Tant d'honneur et tant de bonté,
Que voulentiers diroys combien :
Mais il ne peult estre compté.

Adieu les vieillardz bien heureux,
Plus ne faisans l'amour aux dames,
Toutesfoys tousjours amoureux
De vertu, qui repaist voz ames :
Pour fuyr reproches et blasmes,
De composer ay entreprins
Des epitaphes sur voz lames,
Si je ne suis le premier prins.

Adieu, enfans pleins de sçavoir,
Dont mort l'homme ne desherite;
Si bien souvent me vinstes veoir,
Cela ne vient de mon merite:
Grand mercy, ma Muse petite,
C'est pour vous, et n'en suis marry:
Pour belle femme l'on visite
A tous les coups ung laid mary.

Adieu la Saone, et son mignon
Le Rhosne, qui court de vitesse;
Tu t'en vas droict en Avignon,
Vers Paris je prends mon adresse.
Je diroys: adieu ma maistresse;
Mais le cas viendroit mieulx à poinct
Si je disoys: adieu jeunesse
Car la barbe grise me poingt.

Va, Lyon, que Dieu te gouverne;
Assez long temps s'est esbatu
Le petit chien en ta caverne,
Que devant toy on a batu.
Finablement, pour sa vertu,
Adieu des foys ung million
A Tournon, de rouge vestu,
Gouverneur de ce grand Lyon.

DU MAL CONTENT D'AMOURS

D'estre amoureux n'ay plus intention;
C'est maintenant ma moindre affection;
Car celle là de qui je cuydois estre
Le bien aymé m'a bien faict apparoistre
Qu'au faict d'amour n'y a que fiction.

Je la pensois sans imperfection,
Mais d'aultre amy a prins possession!
Et pource, plus ne me veulx entremettre
      D'estre amoureux.

Au temps present, par toute nation,
Les dames sont comme ung petit sion
Qui tousjours ploye à dextre et à senestre.
Brief, les plus fins n'y sçavent rien congnoistre.
Parquoy concludz que c'est abusion
      D'estre amoureux.

D'ALLIANCE DE PENSÉE

Ung mardy gras, que tristesse est chassée,
M'advint, par heur d'amytié pourchassée,
Une Pensée excellente et loyalle ;
Quand je dirois digne d'estre royalle,
Par moy seroit à bon droict exaulcée ;

Car de rimer ma plume dispensée
(Sans me louer) peult louer la Pensée,
Qui me survint dansant en une salle,
        Ung mardy gras.

C'est celle qu'ay d'alliance pressée
Par ces attraictz ; laquelle à voix baissée
M'a dict : « Je suis ta Pensée féalle
Et toy la mienne à mon gré, cordialle. »
Nostre alliance ainsi fut commencée,
        Ung mardy gras.

DE SA GRAND AMYE

Dedans Paris, ville jolie,
Ung jour, passant melancolie,
Je prins alliance nouvelle
A la plus gaye damoyselle
Qui soit d'icy en Italie.

D'honnesteté elle est saisie,
Et croy, selon ma fantasie,
Qu'il n'en est gueres de plus belle
   Dedans Paris.

Je ne la vous nommeray mye,
Sinon que c'est ma grand amye;
Car l'alliance se feit telle
Par ung doulx baiser que j'eus d'elle,
Sans penser aulcune infamie,
   Dedans Paris.

AUX DAMOYSELLES PARESSEUSES
D'ESCRIRE A LEURS AMYS

Bonjour, et puis, quelles nouvelles?
N'en sçauroit on de vous avoir?
S'en brief ne m'en faictes sçavoir,
J'en feray de toutes nouvelles.

Puis que vous estes si rebelles,
Bon vespre, bonne nuict, bon soir,
            Bon jour!

Mais si vous cueillez des groyselles,
Envoyez m'en; car, pour tout voir,
Je suis gros: mais c'est de vous veoir
Quelcque matin, mes damoyselles;
            Bon jour!

DES TROIS COULEURS, GRIS, TANNÉ ET NOIR

Gris, tanné, noir, porte la fleur des fleurs
Pour sa livrée, avec regretz et pleurs.
Pleurs et regretz en son cueur elle enferme,
Mais les couleurs dont ses vestemens ferme
Sans dire mot, exposent ses douleurs.

Car le noir dit la fermeté des cueurs,
Gris le travail, et tanné les langueurs;
Par ainsi c'est langueur en travail ferme,
                    Gris, tanné, noir.

J'ay ce fort mal par elle et ses valeurs,
Et en souffrant ne crains aulcuns malheurs,
Car sa bonté de mieulx avoir m'afferme;
Ce non obstant, en attendant le terme,
Me fault porter ces trois tristes couleurs,
                    Gris, tanné, noir.

DE SOY MESME

Plus ne suis ce que j'ay esté,
Et ne le sçaurois jamais estre ;
Mon beau printemps et mon esté
Ont faict le sault par la fenestre.
Amour, tu as esté mon maistre :
Je t'ai servi sur tous les dieux.
O si je pouvois deux fois naistre,
Comme je te servirois mieulx !

FRANÇOIS MAYNARD

1583-1646

LA BELLE VIEILLE

Cloris, que dans mon cœur j'ai si souvent servie
Et que ma passion montre à tout l'Univers,
Ne veux-tu pas changer le destin de ma vie,
Et donner de beaux jours à mes derniers hivers !

N'oppose plus ton deuil au bonheur où j'aspire,
Ton visage est-il fait pour demeurer voilé ?
Sors de ta nuit funèbre, et permets que j'admire
Les divines clartés des Yeux qui m'ont brûlé.

Où s'enfuit ta Prudence acquise et naturelle ?
Qu'est-ce que ton Esprit a fait de sa vigueur ?
La folle vanité de paraître fidèle
Aux cendres d'un Jaloux, m'expose à ta rigueur.

Eusses-tu fait le vœu d'un éternel veuvage
Pour l'honneur du Mari que ton lit a perdu,
Et trouvé des Césars dans ton haut parentage,
Ton amour est un bien qui m'est justement dû.

Qu'on a vu revenir de malheurs et de joies !
Qu'on a vu trébucher de peuples et de Rois !
Qu'on a pleuré d'Hectors ! Qu'on a brûlé de Troies,
Depuis que mon courage a fléchi sous tes Lois !

Ce n'est pas d'aujourd'hui que je suis ta Conquête :
Huit Lustres ont suivi le jour que tu me pris ;
Et j'ai fidèlement aimé ta belle tête
Sous des cheveux châtains, et sous des cheveux gris.

C'est de tes jeunes yeux que mon ardeur est née ;
C'est de leurs premiers traits que je fus abattu :
Mais, tant que tu brûlas du flambeau d'Hyménée,
Mon Amour se cacha pour plaire à ta Vertu.

Je sais de quel respect il faut que je t'honore,
Et mes ressentiments ne l'ont pas violé.
Si quelquefois j'ai dit le soin qui me dévore,
C'est à des Confidents qui n'ont jamais parlé.

Pour adoucir l'aigreur des peines que j'endure,
Je me plains aux Rochers et demande conseil
A ces vieilles Forêts, dont l'épaisse verdure
Fait de si belles nuits en dépit du Soleil.

L'Ame pleine d'Amour et de Mélancolie,
Et couché sur des Fleurs et sous des Orangers,
J'ai montré ma blessure aux deux Mers d'Italie,
Et fait dire ton nom aux Échos étrangers.

Ce fleuve impérieux à qui tout fit hommage,
Et dont Neptune même endura le mépris,
A su qu'en mon esprit j'adorais ton Image,
Au lieu de chercher Rome en ces vastes débris.

Cloris, la passion que mon cœur t'a jurée
Ne trouve point d'exemple aux siècles les plus vieux.
Amour et la Nature admirent la durée
Du feu de mes désirs, et du feu de tes Yeux.

HENRI MICHAUX

1899-1984

NAUSÉE OU C'EST LA MORT QUI VIENT?

27 avril.

Rends-toi, mon cœur.
Nous avons assez lutté.
Et que ma vie s'arrête.
On n'a pas été des lâches,
On a fait ce qu'on a pu.

Oh! mon âme,
Tu pars ou tu restes,
Il faut te décider.
Ne me tâte pas ainsi les organes,
Tantôt avec attention, tantôt avec égarement,
Tu pars ou tu restes,
Il faut te décider.

Moi, je n'en peux plus.

Seigneurs de la Mort
Je ne vous ai ni blasphémés ni applaudis.
Ayez pitié de moi, voyageur déjà de tant de voyages sans valises,

Sans maître non plus, sans richesse et la gloire s'en fut ailleurs,
Vous êtes puissants assurément et drôles par-dessous tout,
Ayez pitié de cet homme affolé qui avant de franchir la barrière
    vous crie déjà son nom,
Prenez-le au vol,
Qu'il se fasse, s'il se peut, à vos tempéraments et à vos mœurs,
Et s'il vous plaît de l'aider, aidez-le, je vous prie.

Ecuador (1929)
in *L'Espace du dedans*

MES PROPRIÉTÉS

Dans mes propriétés tout est plat, rien ne bouge ; et s'il y a
une forme ici ou là, d'où vient donc la lumière ? Nulle ombre.

Parfois, quand j'ai le temps, j'observe, retenant ma respiration ; à l'affût ; et si je vois quelque chose émerger, je pars comme
une balle et saute sur les lieux, mais la tête, car c'est le plus
souvent une tête, rentre dans le marais ; je puise vivement, c'est de
la boue, de la boue tout à fait ordinaire ou du sable, du sable…

Ça ne s'ouvre pas non plus sur un beau ciel. Quoiqu'il n'y ait
rien au-dessus, semble-t-il, il faut y marcher courbé comme dans
un tunnel bas.

Ces propriétés sont mes seules propriétés et j'y habite depuis
mon enfance et je puis dire que bien peu en possèdent de plus
pauvres.

Souvent je voulus y disposer de belles avenues, je ferais un
grand parc…

Ce n'est pas que j'aime les parcs, mais… tout de même.

D'autres fois (c'est une manie chez moi, inlassable et qui
repousse après tous les échecs), je vois dans la vie extérieure ou
dans un livre illustré un animal qui me plaît, une aigrette blanche
par exemple, et je me dis : ça, ça ferait bien dans mes propriétés et
puis ça pourrait se multiplier, et je prends force notes et je
m'informe de tout ce qui constitue la vie de l'animal. Ma documentation devient de plus en plus vaste. Mais quand j'essaie de le
transporter dans ma propriété, il lui manque toujours quelques

organes essentiels. Je me débats. Je pressens déjà que ça n'aboutira pas cette fois non plus ; et quant à se multiplier, sur mes propriétés on ne se multiplie pas, je ne le sais que trop. Je m'occupe de la nourriture du nouvel arrivé, de son air, je lui plante des arbres, je sème de la verdure mais telles sont mes détestables propriétés que, si je tourne les yeux, ou qu'on m'appelle dehors un instant, quand je reviens il n'y a plus rien, ou seulement une certaine couche de cendre qui, à la rigueur, révélerait un dernier brin de mousse roussi... à la rigueur.

Et si je m'obstine, ce n'est pas bêtise.

C'est parce que je suis condamné à vivre dans mes propriétés et qu'il faut bien que j'en fasse quelque chose.

Je vais bientôt avoir trente ans, et je n'ai encore rien ; naturellement je m'énerve.

J'arrive bien à former un objet, ou un être, ou un fragment. Par exemple, une branche ou une dent, ou mille branches et mille dents. Mais où les mettre ? Il y a des gens qui sans effort réussissent des massifs, des foules, des ensembles.

Moi, non. Mille dents oui, cent mille dents oui, et certains jours dans ma propriété j'ai là cent mille crayons, mais que faire dans un champ avec cent mille crayons ? Ce n'est pas approprié, ou alors mettons cent mille dessinateurs.

Bien, mais tandis que je travaille à former un dessinateur (et quand j'en ai un, j'en ai cent mille), voilà mes cent mille crayons qui ont disparu.

Et si, pour la dent, je prépare une mâchoire, un appareil de digestion ou d'excrétion, sitôt l'enveloppe en état, quand j'en suis à mettre le pancréas et le foie (car je travaille toujours méthodiquement), voilà les dents parties, et bientôt la mâchoire aussi, et puis le foie, et quand je suis à l'anus, il n'y a plus que l'anus, ça me dégoûte, car s'il faut revenir par le côlon, l'intestin grêle et de nouveau la vésicule biliaire, et de nouveau tout le reste, alors non.

Devant et derrière, ça s'éclipse aussitôt, ça ne peut pas attendre un instant.

Or, je ne peux faire d'un seul coup de baguette des animaux entiers ; moi, je procède méthodiquement ; autrement impossible.

C'est pour ça que mes propriétés sont toujours absolument dénuées de tout, à l'exception d'un être, ou d'une série d'êtres, ce qui ne fait d'ailleurs que renforcer la pauvreté générale, et mettre une réclame monstrueuse et insupportable à la désolation générale.

Alors je supprime tout et il n'y a plus que les marais, sans rien d'autre, des marais qui sont ma propriété et qui veulent me désespérer.

Et si je m'entête, je ne sais vraiment pas pourquoi.

Mais parfois ça s'anime, de la vie grouille. C'est visible, c'est certain. J'avais toujours pressenti qu'il y avait quelque chose en lui, je me sens plein d'entrain. Mais voici que vient une femme du dehors ; et me criblant de plaisirs innombrables, mais si rapprochés que ce n'est qu'un instant, et m'emportant en ce même instant, dans beaucoup, beaucoup de fois le tour du monde... (Moi, de mon côté, je n'ai pas osé la prier de visiter mes propriétés dans l'état de pauvreté où elles sont, de quasi-inexistence.) Bien ! d'autre part, promptement harassé donc de tant de voyages où je ne comprends rien, et qui ne furent qu'un parfum, je me sauve d'elle, maudissant les femmes une fois de plus, et complètement perdu sur la planète, je pleure après mes propriétés qui ne sont rien, mais qui représentent quand même du terrain familier, et ne me donnent pas cette impression d'*absurde* que je trouve partout.

Je passe des semaines à la recherche de mon terrain, humilié, seul ; on peut m'injurier comme on veut dans ces moments-là.

Je me soutiens grâce à cette conviction qu'il n'est pas possible que je ne retrouve pas mon terrain et, en effet, un jour, un peu plus tôt, un peu plus tard, le revoilà.

Quel bonheur de se retrouver sur son terrain ! Ça vous a un air que vraiment n'a aucun autre. Il y a bien quelques changements, il me semble qu'il est un peu plus incliné, ou plus humide, mais le grain de la terre, c'est le même grain.

Il se peut qu'il n'y ait jamais d'abondantes récoltes. Mais, ce grain, que voulez-vous, il me parle. Si pourtant, j'approche, il se confond dans la masse — masse de petits halos.

N'importe, c'est nettement *mon terrain*. Je ne peux pas expliquer ça, mais le confondre avec un autre, ce serait comme si je me confondais avec un autre, ce n'est pas possible.

Il y a mon terrain et moi ; puis il y a l'étranger.

Il y a des gens qui ont des propriétés magnifiques et je les envie. Ils voient quelque chose ailleurs qui leur plaît. Bien, disent-ils, ce sera pour ma propriété. Sitôt dit, sitôt fait, voilà la chose dans leur propriété. Comment s'effectue le passage ? Je ne sais. Depuis leur tout jeune âge, exercés à amasser, à acquérir, ils ne peuvent voir un objet sans le planter immédiatement chez eux, et cela se fait machinalement.

On ne peut même pas dire cupidité, on dira réflexe.

Plusieurs s'en doutent à peine. Ils ont des propriétés magnifiques qu'ils entretiennent par l'exercice constant de leur intelligence et de leurs capacités extraordinaires, et ils ne s'en doutent pas. Mais si vous avez besoin d'une plante, si peu commune soit-elle, ou d'un vieux carrosse comme en usait Joan V de Portugal, ils s'absentent un instant et vous rapportent aussitôt ce que vous avez demandé.

Ceux qui sont habiles en psychologie, j'entends, pas la livresque, auront peut-être remarqué que j'ai menti. J'ai dit que mes propriétés étaient du terrain, or cela n'a pas toujours été. Cela est au contraire fort récent, quoique cela me paraisse tellement ancien, et gros de plusieurs vies même.

J'essaie de me rappeler exactement ce qu'elles étaient autrefois.

Elles étaient tourbillonnaires ; semblables à de vastes poches, à des bourses légèrement lumineuse, et la substance en était impalpable quoique fort dense.

J'ai parfois rendez-vous avec une ancienne amie. Le ton de l'entretien devient vite pénible. Alors je pars brusquement pour ma propriété. Elle a la forme d'une crosse. Elle est grande et lumineuse. Il y a du jour dans ce lumineux et un acier fou qui tremble comme une eau. Et là, je suis bien ; cela dure quelques moments, puis je reviens par politesse près de la jeune femme, et je souris. Mais ce sourire a une vertu telle... (sans doute parce qu'il l'excommunie), qu'elle s'en va en claquant la porte.

Voilà comment les choses se passent entre mon amie et moi. C'est régulier.

On ferait mieux de se séparer pour tout de bon. Si j'avais de grandes et riches propriétés évidemment je la quitterais. Mais dans l'état actuel des choses, il vaut mieux que j'attende encore un peu.

Revenons au terrain. Je parlais de désespoir. Non, ça autorise au contraire tous les espoirs, un terrain. Sur un terrain on peut bâtir, et je bâtirai. Maintenant j'en suis sûr. Je suis sauvé. J'ai une base.

Auparavant, tout étant dans l'espace, sans plafond, ni sol, naturellement, si j'y mettais un être, je ne le revoyais plus jamais. Il disparaissait. Il disparaissait par chute, voilà ce que je n'avais pas compris, et moi qui m'imaginais l'avoir mal construit! Je revenais quelques heures après l'y avoir mis, et m'étonnais chaque fois de sa disparition. Maintenant, ça ne m'arrivera plus. Mon terrain, il est vrai, est encore marécageux. Mais je l'assécherai petit à petit et, quand il sera bien dur, j'y établirai une famille de travailleurs.

Il fera bon marcher sur mon terrain. On verra tout ce que j'y ferai. Ma famille est immense. Vous en verrez de tous les types là-dedans, je ne l'ai pas encore montrée. Mais vous la verrez. Et ses évolutions étonneront le monde. Car elle évoluera avec cette avidité et cet emportement des gens qui ont vécu trop longtemps à leur gré d'une vie purement spatiale et qui se réveillent, transportés de joie, pour mettre des souliers.

Et puis dans l'espace, tout être devenait trop vulnérable. Ça faisait tache, ça ne meublait pas. Et tous les passants tapaient dessus comme sur une cible.

Tandis que du terrain, encore une fois…

Ah! ça va révolutionner ma vie.

Mère m'a toujours prédit la plus grande pauvreté et nullité. Bien. Jusqu'au terrain elle a raison; après le terrain on verra.

J'ai été la honte de mes parents, mais on verra, et puis je vais être heureux. Il y aura toujours nombreuse compagnie. Vous savez, j'étais bien seul, parfois.

Mes propriétés (1929)
in *L'Espace du dedans*

EMPORTEZ-MOI

Emportez-moi dans une caravelle,
Dans une vieille et douce caravelle,
Dans l'étrave, ou si l'on veut, dans l'écume,
Et perdez-moi, au loin, au loin.

Dans l'attelage d'un autre âge.
Dans le velours trompeur de la neige.
Dans l'haleine de quelques chiens réunis.
Dans la troupe exténuée des feuilles mortes.

Emportez-moi sans me briser, dans les baisers,
Dans les poitrines qui se soulèvent et respirent,
Sur les tapis des paumes et leur sourire,
Dans les corridors des os longs et des articulations.

Emportez-moi, ou plutôt enfouissez-moi.

Mes propriétés (1929)
in *L'Espace du dedans*

AMOURS

Toi que je ne sais où atteindre et qui ne liras pas ce livre,
Qui as fait toujours leur procès aux écrivains,
Petites gens, mesquins, manquant de vérité, vaniteux,
Toi pour qui Henri Michaux est devenu un nom propre peut-être
   semblable en tout point à ceux-là qu'on voit dans les faits divers
   accompagnés de la mention d'âge et de profession,
Qui vis dans d'autres compagnies, d'autres plaines, d'autres
   souffles,
Pour qui cependant je m'étais brouillé avec toute une ville capitale
   d'un pays nombreux.
Et qui ne m'as pas laissé un cheveu en t'en allant, mais la seule
   recommandation de bien brûler tes lettres, n'es-tu pas pareille-
   ment à cette heure entre quatre murs et songeant?
Dis-moi, es-tu encore aussi amusée à prendre les jeunes gens
   timides à ton doux regard d'hôpital?
Moi, j'ai toujours mon regard fixe et fou,
Cherchant je ne sais quoi de personnel,
Je ne sais quoi à m'adjoindre dans cette infinie matière invisible et
   compacte,
Qui fait l'intervalle entre le corps de la matière appelée telle.
Cependant je me suis abandonné à un nouveau « nous ».
Elle a comme toi des yeux de lampe très douce, plus grands, une
   voix plus dense, plus basse et un sort assez pareil au tien dans
   son début et son cheminement.

Elle a... elle avait, dis-je !
Demain ne l'aurai plus, mon amie Banjo ;
Banjo,
Banjo,
Bibolabange la bange aussi,
Bilabonne plus douce encore,
Banjo,
Banjo.
Banjo restée toute seule, banjelette,
Ma Banjeby,
Si aimante, Banjo, si douce,
Ai perdu ta gorge menue,
Menue,
Et ton ineffable proximité.
Elles ont menti toutes mes lettres, Banjo... et maintenant je m'en
    vais.
J'ai un billet à la main : 17 084.
Compagnie Royale Néerlandaise.
Il n'y a qu'à suivre ce billet et l'on va en Équateur.
Et demain, billet et moi, nous nous allons,
Nous partons pour cette ville de Quito, au nom de couteau.
Je suis tout replié quand je songe à cela ;
Et pourtant on me dira :
« Eh bien, qu'elle parte avec vous. »
Mais, oui, on ne vous demandait qu'un petit miracle, vous là-
    haut, tas de fainéants, dieux, archanges, élus, fées, philoso-
    phes, et les copains de génie
Que j'ai tant aimés, Ruysbrock et toi Lautréamont,
Qui ne te prenais pas pour trois fois zéro ; un tout petit miracle
    qu'on vous demandait, pour Banjo et pour moi.

La nuit remue
(1935)

MAIS TOI, QUAND VIENDRAS-TU ?

Mais, Toi, quand viendras-tu ?
Un jour, étendant Ta main
sur le quartier où j'habite,
au moment mûr où je désespère vraiment ;
dans une seconde de tonnerre,
m'arrachant avec terreur et souveraineté
de mon corps et du corps croûteux
de mes pensées-images, ridicule univers ;
lâchant en moi Ton épouvantable sonde,
l'effroyable fraiseuse de Ta présence,
élevant en un instant sur ma diarrhée
Ta droite et insurmontable cathédrale ;
me projetant non comme homme
mais comme obus dans la voie verticale,
Tu viendras.

Tu viendras, si tu existes,
appâté par mon gâchis,
mon odieuse autonomie.
Sortant de l'Éther, de n'importe où, de dessous mon moi boule-
    versé, peut-être ;
jetant mon allumette dans Ta démesure,
et adieu, Michaux.

Ou bien, quoi?
Jamais? Non?
Dis, Gros lot, où veux-tu donc tomber?

Lointain intérieur (1938)
in *L'Espace du dedans*

LA LETTRE

Je vous écris d'un pays autrefois clair. Je vous écris du pays du manteau et de l'ombre. Nous vivons depuis des années, nous vivons sur la Tour du pavillon en berne. Oh! Été empoisonné! Et depuis toujours le même jour, le jour au souvenir incrusté…

Le poisson pêché pense à l'eau tant qu'il le peut. Tant qu'il le peut, n'est-ce pas naturel? Au sommet d'une pente de montagne, on reçoit un coup de pique. C'est ensuite toute une vie qui change. Un instant enfonce la porte du Temple.

Nous nous consultons. Nous ne savons plus. Nous n'en savons pas plus l'un que l'autre. Celui-ci est affolé. Celui-là confondu. Tous sont désemparés. Le calme n'est plus. La sagesse ne dure pas le temps d'une inspiration. Dites-moi. Qui ayant reçu trois flèches dans la joue se présentera d'un air dégagé?

La mort prit les uns. La prison, l'exil, la faim, la misère prirent les autres. De grands sabres de frisson nous ont traversés, l'abject et le sournois ensuite nous ont traversés.

Qui sur notre sol reçoit encore le baiser de la joie jusqu'au fond du cœur?

L'union du moi et du vin est un poème. L'union du moi et de la femme est un poème. L'union du ciel et de la terre est un poème, mais le poème que nous avons entendu a paralysé notre entendement.

Notre chant dans la peine trop grande n'a pu être proféré. L'art à la trace de jade s'arrête. Les nuages passent, les nuages aux contours de roches, les nuages aux contours des pêches, et nous, pareils à des nuages nous passons, bourrés des vaines puissances de la douleur.

On n'aime plus le jour. Il hurle. On n'aime plus la nuit, hantée de soucis. Mille voix pour s'enfoncer. Nulle voix pour s'appuyer. Notre peau se fatigue de notre pâle visage.

L'événement est grand. La nuit aussi est grande, mais que peut-elle ? Mille astres de la nuit n'éclairent pas un seul lit. Ceux qui savaient ne savent plus. Ils sautent avec le train, ils roulent avec la roue.

« Se garder soi dans le sien ? » Vous n'y songez pas ! La maison solitaire n'existe pas dans l'île aux perroquets. Dans la chute s'est montrée la scélératesse. Le pur n'est pas pur. Il montre son obstiné, son rancunier. Certains se manifestent dans l'esquive. Mais la grandeur ne se manifeste pas.

L'ardeur en secret, l'adieu à la vérité, le silence de la dalle, le cri du poignardé, l'ensemble du repos glacé et des sentiments qui brûlent a été notre ensemble et la route du chien perplexe notre route.

Nous ne nous sommes pas reconnus dans le silence, nous ne nous sommes pas reconnus dans les hurlements, ni dans nos grottes, ni dans les gestes des étrangers. Autour de nous, la campagne est indifférente et le ciel sans intentions.

Nous nous sommes regardés dans le miroir de la mort. Nous nous sommes regardés dans le miroir du sceau insulté, du sang qui coule, de l'élan décapité, dans le miroir charbonneux des avanies.

Nous sommes retournés aux sources glauques.

Épreuves, Exorcismes (1945)
in *L'Espace du dedans*

ET C'EST TOUJOURS

Et c'est toujours le percement par la lance
l'essaim de guêpes qui fond sur l'œil
la lèpre
et c'est toujours le flanc ouvert

et c'est toujours l'enseveli vivant
et c'est toujours le tabernacle brisé
le bras faible comme un cil qui lutte contre le fleuve
et c'est toujours la nuit qui revient
l'espace vide mais qui guette

et c'est toujours la vieille sangle
et c'est toujours l'enseveli vivant
et c'est toujours le balcon écroulé.
Le nerf pincé au fond du cœur qui se souvient
l'oiseau-baobab qui fouaille le cerveau
le torrent où l'être se précipite
et c'est toujours la rencontre dans l'orage
et c'est toujours le bord de l'éclipse
et c'est toujours derrière la palissade des cellules
l'horizon qui recule, qui recule...

La Vie dans les plis
(1949)

ET C'EST TOUJOURS

Et c'est toujours le percement par la lance
l'essaim de guêpes qui fond sur l'œil
la lèpre
et c'est toujours le flanc ouvert

et c'est toujours l'envolvit vivant
et c'est toujours le tabernacle brisé
le bras faible comme un cil qui lutte contre le fleuve
et c'est toujours la nuit qui revient
l'espace vide mais qui guette

et c'est toujours la vieille sangle
et c'est toujours l'enseveli vivant
et c'est toujours le ballon éorulé
le nerf pincé au fond du cœur qui se souvient
l'oiseau-baobab qui fouille le cerveau
le torrent où l'être se précipite
et c'est toujours la rencontre dans l'ombre
et c'est toujours le bord de l'éclipse
et c'est toujours derrière la palissade des cellules
l'horizon qui recule qui recule

La Vie dans les plis
(1949)

OSCAR VLADISLAS DE LUBICZ-MILOSZ

1877-1939

SOLITUDE

Je me suis réveillé sous l'azur de l'absence
Dans l'immense midi de la mélancolie.
L'ortie des murs croulants boit le soleil des morts.
      Silence.

Où m'avez-vous conduit, Mère aveugle, ô ma vie ?
Dans quel enfer du souvenir où l'herbe pense,
Où l'océan des temps cherche à tâtons ses bords ?
      Silence.

Écho du précipice, appelle-moi ! Démence,
Trempe tes jaunes fleurs dans la source où je bois,
Mais que les jours passés se détachent de moi !
      Silence.

Vous qui m'avez créé, vous qui m'avez frappé,
Vous vers qui l'aloès, cœur des gouffres, s'élance,
Père ! à vos pieds meurtris trouverai-je la paix ?
      Silence.

Autres Poèmes

MOLIÈRE

1622-1673

LE SONNET D'ORONTE

L'Espoir, il est vray, nous soulage,
Et nous berce un temps notre ennuy :
Mais, Philis, le triste avantage,
Lors que rien ne marche après luy !

Vous eustes de la complaisance
Mais vous en deviez moins avoir ;
Et ne vous pas mettre en dépense
Pour ne me donner que l'Espoir.

S'il faut qu'une attente éternelle
Pousse à bout l'ardeur de mon zèle
Le Trépas sera mon recours.

Vos soins ne m'en peuvent distraire ;
Belle Philis, on désespère,
Alors qu'on espère toujours.

Le Misanthrope. Acte I, scène II

LE SONNET D'ORONTE

L'espoir, il est vray, nous soulage,
Et nous berce un temps notre ennuy;
Mais, Philis, le triste avantage,
Lorsque rien ne marche après luy!

Vous eustes de la complaisance,
Mais vous en devez moins avoir;
Et ne vous pas mettre en dépense
Pour ne me donner que l'espoir.

S'il faut qu'une attente éternelle
Pousse à bout l'ardeur de mon zèle,
Le trépas sera mon recours.

Vos soins ne m'en peuvent distraire:
Belle Philis, on désespère,
Alors qu'on espère toujours!

Le Misanthrope, Acte I, scène IV.

VINCENT MUSELLI

1879-1956

MAIS CES OISEAUX...

Mais ces oiseaux qui volaient haut dans le soir,
En chantant malgré le vent et malgré l'ombre,
Disaient-ils point, ah, si fiers en ce décombre !
L'inexorable dureté de l'espoir.

La peur entrait dans la bête et dans la plante,
Les angoisses peuplaient l'air alentour, mais
Ces oiseaux, alors, chantèrent à jamais,
Ignorants de la lumière fléchissante.

Déjà le jour noircissait dans les roseaux,
Un deuil froid poignait les choses de la plaine,
Tout mourait, dans quel secret ! et cette peine
Était longue sur l'étang. Mais ces oiseaux...

ALFRED DE MUSSET

1810-1857

A Ulric G. (juillet 1829).

Ulric, nul œil des mers n'a mesuré l'abîme,
Ni les hérons plongeurs, ni les vieux matelots.
Le soleil vient briser ses rayons sur leur cime,
Comme un soldat vaincu brise ses javelots.

Ainsi, nul œil, Ulric, n'a pénétré les ondes
De tes douleurs sans borne, ange du ciel tombé
Tu portes dans ta tête et dans ton cœur deux mondes,
Quand le soir, près de moi, tu vas triste et courbé.

Mais laisse-moi du moins regarder dans ton âme,
Comme un enfant craintif se penche sur les eaux;
Toi si plein, front pâli sous des baisers de femme,
Moi si jeune, enviant ta blessure et tes maux.

VENISE

Dans Venise la rouge,
Pas un bateau qui bouge,
Pas un pêcheur dans l'eau,
   Pas un falot.

Seul, assis à la grève,
Le grand lion soulève,
Sur l'horizon serein,
   Son pied d'airain.

Autour de lui, par groupes,
Navires et chaloupes,
Pareils à des hérons
   Couchés en ronds,

Dorment sur l'eau qui fume,
Et croisent dans la brume,
En légers tourbillons,
   Leurs pavillons.

La lune qui s'efface
Couvre son front qui passe
D'un nuage étoilé
   Demi-voilé.

Ainsi, la dame abbesse
De Sainte-Croix rabaisse
Sa cape aux larges plis
    Sur son surplis.

Et les palais antiques,
Et les graves portiques,
Et les blancs escaliers
    Des chevaliers,

Et les ponts, et les rues,
Et les mornes statues,
Et le golfe mouvant
    Qui tremble au vent,

Tout se tait, fors les gardes
Aux longues hallebardes,
Qui veillent aux créneaux
    Des arsenaux.

— Ah! maintenant plus d'une
Attend, au clair de lune,
Quelque jeune muguet,
    L'oreille au guet.

Pour le bal qu'on prépare,
Plus d'une qui se pare,
Met devant son miroir
    Le masque noir.

Sur sa couche embaumée,
La Vanina pâmée
Presse encor son amant,
    En s'endormant;

Et Narcissa, la folle,
Au fond de sa gondole,
S'oublie en un festin
    Jusqu'au matin.

Et qui, dans l'Italie,
N'a son grain de folie ?
Qui ne garde aux amours
    Ses plus beaux jours ?

Laissons la vieille horloge,
Au palais du vieux doge,
Lui compter de ses nuits
    Les longs ennuis.

Comptons plutôt, ma belle,
Sur ta bouche rebelle
Tant de baisers donnés...
    Ou pardonnés.

Comptons plutôt tes charmes,
Comptons les douces larmes,
Qu'à nos yeux a coûté
    La volupté !

SONNET

Que j'aime le premier frisson d'hiver! le chaume,
Sous le pied du chasseur, refusant de ployer!
Quand vient la pie aux champs que le foin vert embaume,
Au fond du vieux château s'éveille le foyer;

C'est le temps de la ville. — Oh! lorsque l'an dernier,
J'y revins, que je vis ce bon Louvre et son dôme,
Paris et sa fumée, et tout ce beau royaume
(J'entends encore au vent les postillons crier),

Que j'aimais ce temps gris, ces passants, et la Seine
Sous ses mille falots assise en souveraine!
J'allais revoir l'hiver. — Et toi, ma vie, et toi!

Oh! dans tes longs regards j'allais tremper mon âme;
Je saluais tes murs. — Car, qui m'eût dit, madame,
Que votre cœur sitôt avait changé pour moi?

BALLADE A LA LUNE

C'était, dans la nuit brune,
Sur le clocher jauni,
La lune,
Comme un point sur un i.

Lune, quel esprit sombre
Promène au bout d'un fil,
Dans l'ombre,
Ta face et ton profil?

Es-tu l'œil du ciel borgne?
Quel chérubin cafard
Nous lorgne
Sous ton masque blafard?

N'es-tu rien qu'une boule?
Qu'un grand faucheux bien gras
Qui roule
Sans pattes et sans bras?

Es-tu, je t'en soupçonne,
Le vieux cadran de fer
Qui sonne
L'heure aux damnés d'enfer?

Sur ton front qui voyage
Ce soir ont-ils compté
    Quel âge
A leur éternité ?

. . . .

Comme un ours à la chaîne,
Toujours sous tes yeux bleus
    Se traîne
L'Océan monstrueux.

. . . .

CHANSON

J'ai dit à mon cœur, à mon faible cœur :
N'est-ce point assez d'aimer sa maîtresse ?
Et ne vois-tu pas que changer sans cesse,
C'est perdre en désirs le temps du bonheur ?

Il m'a répondu : Ce n'est point assez,
Ce n'est point assez d'aimer sa maîtresse ;
Et ne vois-tu pas que changer sans cesse
Nous rend doux et chers les plaisirs passés ?

J'ai dit à mon cœur, à mon faible cœur :
N'est-ce point assez de tant de tristesse ?
Et ne vois-tu pas que changer sans cesse,
C'est à chaque pas trouver la douleur ?

Il m'a répondu : Ce n'est point assez,
Ce n'est point assez de tant de tristesse ;
Et ne vois-tu pas que changer sans cesse
Nous rend doux et chers les chagrins passés ?

(1831)

CHANSON

A Saint-Blaise, à la Zuecca,
Vous étiez, vous étiez bien aise
    A Saint-Blaise.
A Saint-Blaise, à la Zuecca,
    Nous étions bien là.

Mais de vous en souvenir
    Prendrez-vous la peine ?
Mais de vous en souvenir
    Et d'y revenir,

A Saint-Blaise, à la Zuecca,
Dans les prés fleuris cueillir la verveine,
A Saint-Blaise, à la Zuecca,
    Vivre et mourir là !

(1835)

CHANSON DE BARBERINE

Beau chevalier qui partez pour la guerre,
                Qu'allez-vous faire
                Si loin d'ici?
Voyez-vous pas que la nuit est profonde,
                Et que le monde
                N'est que souci?

Vous qui croyez qu'une amour délaissée
                De la pensée
                S'enfuit ainsi,
Hélas! hélas! chercheurs de renommée,
                Votre fumée
                S'envole aussi.

Beau chevalier qui partez pour la guerre,
                Qu'allez-vous faire
                Si loin de nous?
J'en vais pleurer, moi qui me laissais dire
                Que mon sourire
                était si doux.

                                        (1836)

A NINON

Si je vous le disais pourtant, que je vous aime,
Qui sait, brune aux yeux bleus, ce que vous en diriez?
L'amour, vous le savez, cause une peine extrême;
C'est un mal sans pitié que vous plaignez vous-même;
Peut-être cependant que vous m'en puniriez.

Si je vous le disais, que six mois de silence
Cachent de longs tourments et des vœux insensés:
Ninon, vous êtes fine, et votre insouciance
Se plaît, comme une fée, à deviner d'avance;
Vous me répondriez peut-être: Je le sais.

Si je vous le disais, qu'une douce folie
A fait de moi votre ombre, et m'attache à vos pas:
Un petit air de doute et de mélancolie,
Vous le savez, Ninon, vous rend bien plus jolie;
Peut-être diriez-vous que vous n'y croyez pas.

. . . .

La nuit, quand de si loin le monde nous sépare,
Quand je rentre chez moi pour tirer mes verrous,
De mille souvenirs en jaloux je m'empare;
Et là, seul devant Dieu, plein d'une joie avare,
J'ouvre, comme un trésor, mon cœur tout plein de vous.

. . . .

(1837)

ADIEU

Adieu ! je crois qu'en cette vie
Je ne te reverrai jamais.
Dieu passe, il t'appelle et m'oublie ;
En te perdant je sens que je t'aimais.

Pas de pleurs, pas de plainte vaine.
Je sais respecter l'avenir.
Vienne la voile qui t'emmène,
En souriant je la verrai partir.

Tu t'en vas pleine d'espérance,
Avec orgueil tu reviendras ;
Mais ceux qui vont souffrir de ton absence,
Tu ne les reconnaîtras pas.

Adieu ! tu vas faire un beau rêve
Et t'enivrer d'un plaisir dangereux ;
Sur ton chemin l'étoile qui se lève
Longtemps encor éblouira tes yeux.

Un jour tu sentiras peut-être
Le prix d'un cœur qui nous comprend,
Le bien qu'on trouve à le connaître ;
Et ce qu'on souffre en le perdant.

(1839)

SONNET

Non, quand bien même une amère souffrance
Dans ce cœur mort pourrait se ranimer;
Non, quand bien même une fleur d'espérance
Sur mon chemin pourrait encor germer;

Quand la pudeur, la grâce et l'innocence
Viendraient en toi me plaindre et me charmer,
Non, Chère enfant, si belle d'ignorance,
Je ne saurais, je n'oserais t'aimer.

Un jour pourtant il faudra qu'il te vienne,
L'instant suprême où l'univers n'est rien.
De mon respect alors qu'il te souvienne!

Tu trouveras, dans la joie ou la peine,
Ma triste main pour soutenir la tienne,
Mon triste cœur pour écouter le tien.

(1839)

JAMAIS

Jamais, avez-vous dit, tandis qu'autour de nous
Résonnait de Schubert la plaintive musique ;
Jamais, avez-vous dit, tandis que, malgré vous,
Brillait de vos grands yeux l'azur mélancolique.

Jamais, répétiez-vous, pâle et d'un air si doux
Qu'on eût cru voir sourire une médaille antique.
Mais des trésors secrets l'instinct fier et pudique
Vous couvrit de rougeur, comme un voile jaloux.

Quel mot vous prononcez, marquise, et quel dommage !
Hélas ! je ne voyais ni ce charmant visage,
Ni ce divin sourire, en vous parlant d'aimer.

Vos yeux bleus sont moins doux que votre âme n'est belle.
Même en les regardant, je ne regrettais qu'elle,
Et de voir dans sa fleur un tel cœur se fermer.

(1839)

TRISTESSE

J'ai perdu ma force et ma vie,
Et mes amis et ma gaieté;
J'ai perdu jusqu'à la fierté
Qui faisait croire à mon génie.

....

(1840)

SOUVENIR

. . . .

Les voilà, ces coteaux, ces bruyères fleuries,
Et ces pas argentins sur le sable muet,
Ces sentiers amoureux, remplis de causeries,
              Où son bras m'enlaçait.

Les voilà, ces sapins à la sombre verdure,
Cette gorge profonde aux nonchalants détours,
Ces sauvages amis, dont l'antique murmure
              A bercé mes beaux jours.

Les voilà, ces buissons où toute ma jeunesse,
Comme un essaim d'oiseaux, chante au bruit de mes pas.
Lieux charmants, beau désert où passa ma maîtresse,
              Ne m'attendiez-vous pas?

. . . .

(Février 1841)

GÉRARD DE NERVAL

1808-1855

Petits Châteaux de Bohême

LE CHRIST AUX OLIVIERS

> *Dieu est mort! le ciel est vide…*
> *Pleurez! enfants, vous n'avez plus de père!*

Jean-Paul.

Il reprit : « Tout est mort ! J'ai parcouru les mondes ;
Et j'ai perdu mon vol dans leurs chemins lactés,
Aussi loin que la vie, en ses veines fécondes,
Répand des sables d'or et des flots argentés :

« Partout le sol désert côtoyé par des ondes,
Des tourbillons confus d'océans agités…
Un souffle vague émeut les sphères vagabondes,
Mais nul esprit n'existe en ces immensités.

« En cherchant l'œil de Dieu, je n'ai vu qu'un orbite
Vaste, noir et sans fond, d'où la nuit qui l'habite
Rayonne sur le monde et s'épaissit toujours ;

« Un arc-en-ciel étrange entoure ce puits sombre,
Seuil de l'ancien chaos dont le néant est l'ombre,
Spirale engloutissant les Mondes et les Jours !

« Immobile Destin, muette sentinelle,
Froide Nécessité !... Hasard qui, t'avançant
Parmi les mondes morts sous la neige éternelle,
Refroidis, par degrés, l'univers pâlissant,

« Sais-tu ce que tu fais, puissance originelle,
De tes soleils éteints, l'un l'autre se froissant...
Es-tu sûr de transmettre une haleine immortelle,
Entre un monde qui meurt et l'autre renaissant ?...

« O mon père ! est-ce toi que je sens en moi-même ?
As-tu pouvoir de vivre et de vaincre la mort ?
Aurais-tu succombé sous un dernier effort

« De cet ange des nuits que frappa l'anathème ?...
Car je me sens tout seul à pleurer et souffrir,
Hélas ! et, si je meurs, c'est que tout va mourir ! »

C'était bien lui, ce fou, cet insensé sublime...
Cet Icare oublié qui remontait les cieux,
Ce Phaéton perdu sous la foudre des dieux,
Ce bel Atys meurtri que Cybèle ranime !

L'augure interrogeait le flanc de la victime,
La terre s'enivrait de ce sang précieux...
L'univers étourdi penchait sur ses essieux,
Et l'Olympe un instant chancela vers l'abîme.

« Répond ! criait César à Jupiter Ammon,
Quel est ce nouveau dieu qu'on impose à la terre ?
Et si ce n'est un dieu, c'est au moins un démon... »

Mais l'oracle invoqué pour jamais dut se taire ;
Un seul pouvait au monde expliquer ce mystère :
— Celui qui donna l'âme aux enfants du limon.

DELFICA

La connais-tu , DAFNÉ, cette ancienne romance,
Au pied du sycomore, ou sous les lauriers blancs,
Sous l'olivier, le myrte, ou les saules tremblants,
Cette chanson d'amour... qui toujours recommence?...

Reconnais-tu le TEMPLE au péristyle immense,
Et les citrons amers où s'imprimaient tes dents,
Et la grotte, fatale aux hôtes imprudents,
Où du dragon vaincu dort l'antique semence?...

Ils reviendront, ces Dieux que tu pleures toujours!
Le temps va ramener l'ordre des anciens jours;
La terre a tressailli d'un souffle prophétique...

Cependant la sibylle au visage latin
Est endormie encore sous l'arc de Constantin
— Et rien n'a dérangé le sévère portique.

Les Chimères

EL DESDICHADO

Je suis le Ténébreux, le Veuf, — l'Inconsolé,
Le Prince d'Aquitaine à la Tour abolie :
Ma seule *Étoile* est morte, — et mon luth constellé
Porte le *Soleil noir* de la *Mélancolie*.

Dans la nuit du Tombeau, Toi qui m'as consolé,
Rends-moi le Pausilippe et la mer d'Italie,
La *fleur* qui plaisait tant à mon cœur désolé,
Et la treille où le Pampre à la Rose s'allie.

Suis-je Amour ou Phœbus ?... Lusignan ou Biron ?
Mon front est rouge encor du baiser de la Reine ;
J'ai rêvé dans la Grotte où nage la Syrène...

Et j'ai deux fois vainqueur traversé l'Achéron :
Modulant tour à tour sur la lyre d'Orphée
Les soupirs de la Sainte et les cris de la Fée.

MYRTHO

Je pense à toi, Myrtho, divine enchanteresse,
Au Pausilippe altier, de mille feux brillant,
A ton front inondé des clartés d'Orient,
Aux raisins noirs mêlés avec l'or de ta tresse.

C'est dans ta coupe aussi que j'avais bu l'ivresse,
Et dans l'éclair furtif de ton œil souriant,
Quand aux pieds d'Iacchus on me voyait priant,
Car la Muse m'a fait l'un des fils de la Grèce.

Je sais pourquoi là-bas le volcan s'est rouvert...
C'est qu'hier tu l'avais touché d'un pied agile,
Et de cendres soudain l'horizon s'est couvert.

Depuis qu'un duc normand brisa tes dieux d'argile,
Toujours, sous les rameaux du laurier de Virgile,
Le pâle Hortensia s'unit au Myrte vert!

ARTÉMIS

La Treizième revient... C'est encor la première;
Et c'est toujours la Seule, — ou c'est le seul moment;
Car es-tu Reine, ô Toi! la première ou dernière?
Es-tu Roi, toi le Seul ou le dernier amant?...

Aimez qui vous aima du berceau dans la bière;
Celle que j'aimai seul m'aime encore tendrement:
C'est la Mort — ou la Morte... O délice! ô tourment!
La rose qu'elle tient, c'est la *Rose trémière*.

Sainte napolitaine aux mains pleines de feux,
Rose au cœur violet, fleur de sainte Gudule:
As-tu trouvé ta Croix dans le désert des Cieux?

Roses blanches, tombez! vous insultez nos Dieux,
Tombez, fantômes blancs, de votre ciel qui brûle:
— La Sainte de l'Abîme est plus sainte à mes yeux!

GERMAIN NOUVEAU

1851-1920

LA DEVISE

Puisque Vous vîntes en ce monde,
Sur la Normandie au sol fier,
Dans une ville gaie et blonde,
Entre les pommiers et la mer ;

Puisqu'il est certain que vous, Femme,
Vous pouvez tout, grâce à l'Amour,
Vous de qui le regard m'enflamme
Comme une Flèche de son Jour ;

Puisqu'il est clair que dans ta tête
Ton jugement est ferme et sûr,
Et tel qu'en août, aux champs en fête,
L'Épi de blé, lorsqu'il est mûr ;

Puisqu'on voit en France les hommes
Céder à leurs femmes le pas,
Et que les Croqueuses de pommes
Leur font mettre à tous chapeau bas ;

Puisqu'enfin ce n'est pas en rêve
Qu'on Te trouve en tout et toujours
Parfaite entre les Filles d'Ève
Au joli pays des amours ;

J'ai pu calquer votre devise
Sur la mienne, on jugera bien
Si l'on peut penser sans sottise
Que tous deux nous ne sommes rien ;

Donc ma devise est la servante
De la vôtre, que sans retard
J'écris sur la page suivante :
C'est toute une Épopée à part.

Valentines

POISON PERDU

(Attribué à Germain Nouveau.)

Des nuits du blond et de la brune
Pas un souvenir n'est resté
Pas une dentelle d'été,
Pas une cravate commune ;

Et sur le balcon où le thé
Se prend aux heures de la lune
Il n'est resté de trace, aucune,
Pas un souvenir n'est resté.

Seule au coin d'un rideau piquée,
Brille une épingle à tête d'or
Comme un gros insecte qui dort.

Pointe d'un fin poison trempée,
Je te prends, sois-moi préparée
Aux heures des désirs de mort.

CHARLES D'ORLÉANS

1394-1465

L'omme esgaré qui ne scet ou il va.

L'omme esgaré qui ne scet ou il va !

L'OMME ESGARÉ QUI NE SCET OU IL VA...

En la forest d'Ennuyeuse Tristesse,
Un jour m'avint qu'a par moy cheminoye,
Si rencontray l'Amoureuse Deesse
Qui m'appella, demandant ou j'aloye.
Je respondy que par Fortune estoye
Mis en exil en ce bois, long temps a,
Et qu'a bon droit appeller me povoye
L'omme esgaré qui ne scet ou il va.

En sousriant, par sa tresgrant humblesse,
Me respondy : « Amy, se je savoye
Pourquoy tu es mis en ceste destresse,
A mon povair voulentiers t'ayderoye ;
Car, ja pieça[1], je mis ton cueur en voye
De tout plaisir, ne sçay qui l'en osta ;
Or me desplaist qu'a present je te voye
L'omme esgaré qui ne scet ou il va.

— Helas ! dis je, souverainne Princesse,
Mon fait savés, pourquoy le vous diroye ?
C'est par la Mort qui fait a tous rudesse,
Qui m'a tollu[2] celle que tant amoye,

1. Depuis longtemps.
2. Oté.

En qui estoit tout l'espoir que j'avoye,
Qui me guidoit, si bien m'acompaigna
En son vivant, que point ne me trouvoye
L'omme esgaré qui ne scet ou il va. »

Aveugle suy, ne sçay ou aler doye ;
De mon baston, affin que ne forvoye,
Je vois tastant mon chemin ça et la ;
C'est grant pitié qu'il couvient que je soye
L'omme esgaré qui ne scet ou il va !

Que me conseilliez vous, mon cueur?
Iray je par devers la belle,
Luy dire la peine mortelle
Que souffrez pour elle en doleur?

Pour vostre bien et son honneur,
C'est droit que vostre conseil celle.
Que me conseilliez vous, mon cueur,
Iray je par devers la belle?

Si plaine la sçay de doulceur
Que trouveray mercy en elle,
Tost en aurez bonne nouvelle.
G'y vois, n'est ce pour le meilleur?
Que me conseilliez vous, mon cueur?

Jennes amoureux nouveaulx,
En la nouvelle saison,
Par les rues, sans raison,
Chevauchent, faisans les saulx.

Et font saillir des carreaulx
Le feu, comme de cherbon,
Jennes amoureux nouveaulx,
En la nouvelle saison.

Je ne sçay se leurs travaulx
Ilz emploient bien ou non;
Mais piqués de l'esperon
Sont autant que leurs chevaulx,
Jennes amoureux nouveaulx!

Le temps a laissié son manteau
De vent, de froidure et de pluye,
Et s'est vestu de brouderie,
De soleil luyant, cler et beau.

Il n'y a beste, ne oyseau,
Qu'en son jargon ne chante ou crie :
Le temps a laissié son manteau !
Rivière, fontaine et ruisseau
Portent, en livree jolie,
Gouttes d'argent d'orfaverie,
Chascun s'abille de nouveau :
Le temps a laissié son manteau.

Fiés vous y !
A qui ?
En quoy ?
Comme je voy,
Riens n'est sans sy.

Ce monde cy
A sy
Peu foy.
Fiés vous y !

Plus je n'en dy,
N'escry,
Pour quoy ?
Chascun j'en croy
S'il est ainsy ;
Fiés vous y !

Le monde est ennuyé de moy,
Et moy pareillement de lui;
Je ne congnois rien au jour d'ui
Dont il me chaille que bien poy [1].

Dont quanque devant mes yeulx voy [2],
Puis nommer anuy sur anuy;
Le monde est ennuyé de moy,
Et moy pareillement de lui.

Cherement se vent bonne foy,
A bon marché n'en a nulluy;
Et pour ce, se je sui cellui
Qui m'en plains, j'ay raison pour quoy:
Le monde est ennuyé de moy.

---

1. Qui m'importe si peu que ce soit.
2. Où que mes yeux regardent.

Le monde est ennuyé de moy,
Et moy pareillement de lui ;
Je ne congnois rien au jour d'ui
Dont il me chaille que bien poy,

Dont quanque devant mes yeulx voy,
Puis nommer annuy sur annuy ;
Le monde est ennuyé de moy,
Et moy pareillement de lui.

Charcmense veut bonne foy,
A bon marché n'en a nullui ;
Et pour ce, se je sui cellui
Qui m'en plains, j'ay raison pour quoy :
Le monde est ennuyé de moy

---

1. Qui m'importe si peu que ce soit.
2. On qu'ance veux regulant.

CATHERINE POZZI

1882-1934

Très haut amour.

AVE

Très haut amour, s'il se peut que je meure
Sans avoir su d'où je vous possédais,
En quel soleil était votre demeure
En quel passé votre temps, en quelle heure
Je vous aimais,

Très haut amour qui passez la mémoire,
Feu sans foyer dont j'ai fait tout mon jour,
En quel destin vous traciez mon histoire,
En quel sommeil se voyait votre gloire,
O mon séjour...

Quand je serai pour moi-même perdue
Et divisée à l'abîme infini,
Infiniment, quand je serai rompue,
Quand le présent dont je suis revêtue
Aura trahi,

Par l'univers en mille corps brisée,
De mille instants non rassemblés encor,
De cendre aux cieux jusqu'au néant vannée,
Vous referez pour une étrange année
Un seul trésor

Vous referez mon nom et mon image
De mille corps emportés par le jour,
Vive unité sans nom et sans visage,
Cœur de l'esprit, ô centre du mirage
                Très haut amour.

JACQUES PRÉVERT

1900-1977

J'AI TOUJOURS ÉTÉ
INTACT DE DIEU...

J'ai toujours été intact de Dieu et c'est en pure perte que ses émissaires, ses commissaires, ses prêtres, ses directeurs de conscience, ses ingénieurs des âmes, ses maîtres à penser se sont évertués à me sauver.

Même tout petit, j'étais déjà assez grand pour me sauver moi-même dès que je les voyais arriver.

Je savais où m'enfuir : les rues, et quand parfois ils parvenaient à me rejoindre, je n'avais même pas besoin de secouer la tête, il me suffisait de les regarder pour dire non.

Parfois, pourtant, je leur répondais : « C'est pas vrai ! »

Et je m'en allais, là où ça me plaisait, là où il faisait beau même quand il pleuvait, et quand de temps à autre ils revenaient avec leurs trousseaux de mots-clés, leurs cadenas d'idées, les explicateurs de l'inexplicable, les réfutateurs de l'irréfutable, les négateurs de l'indéniable, je souriais et répétais : « C'est pas vrai ! » et « C'est vrai que c'est pas vrai ! »

Et comme ils me foutaient zéro pour leurs menteries millénaires, je leur donnais en mille mes vérités premières.

Choses et autres

JEAN RACINE

1639-1699

ACTE I, SCÈNE IV

Antiochus

. . . .

Rome vous vit, Madame, arriver avec lui.
Dans l'Orient désert quel devint mon ennui !
Je demeurai longtemps errant dans Césarée,
Lieux charmants où mon cœur vous avait adorée.
Je vous redemandais à vos tristes Etats ;
Je cherchais en pleurant les traces de vos pas ;
Mais enfin, succombant à ma mélancolie,
Mon désespoir tourna mes pas vers l'Italie.
Le sort m'y réservait le dernier de ses coups :
Titus en m'embrassant m'amena devant vous.
Un voile d'amitié vous trompa l'un et l'autre,
Et mon amour devint le confident du vôtre.
Mais toujours quelque espoir flattait mes déplaisirs :
Rome, Vespasien traversaient vos soupirs ;
Après tant de combats, Titus cédait peut-être.
Vespasien est mort, et Titus est le maître.
Que ne fuyais-je alors ? J'ai voulu quelques jours
De son nouvel empire examiner le cours.
Mon sort est accompli. Votre gloire s'apprête ;
Assez d'autres sans moi, témoins de cette fête,

A vos heureux transports viendront joindre les leurs.
Pour moi, qui ne pourrais y mêler que des pleurs,
D'un inutile amour trop constante victime,
Heureux, dans mes malheurs, d'en avoir pu sans crime
Conter toute l'histoire aux yeux qui les ont faits,
Je pars plus amoureux que je ne fus jamais.

ACTE IV, SCÈNE V

Bérénice

. . . .

Moi-même j'ai voulu vous entendre en ce lieu.
Je n'écoute plus rien, et pour jamais adieu.
Pour jamais! Ah! Seigneur, songez-vous en vous-même
Combien ce mot cruel est affreux quand on aime?
Dans un mois, dans un an, comment souffrirons-nous,
Seigneur, que tant de mers me séparent de vous,
Que le jour recommence et que le jour finisse
Sans que jamais Titus puisse voir Bérénice,
Sans que de tout le jour je puisse voir Titus?
Mais quelle est mon erreur, et que de soins perdus!
L'ingrat, de mon départ consolé par avance,
Daignera-t-il compter les jours de mon absence?
Ces jours, si longs pour moi, lui sembleront trop courts.

ACTE V, SCÈNE VII

Bérénice

. . . .

(A Titus.)

. . . .

J'aimais, Seigneur, j'aimais, je voulais être aimée.
Ce jour, je l'avouerai, je me suis alarmée :
J'ai cru que votre amour allait finir son cours.
Je connais mon erreur, et vous m'aimez toujours.
Votre cœur s'est troublé, j'ai vu couler vos larmes.
Bérénice, Seigneur, ne vaut point tant d'alarmes,
Ni que par votre amour l'univers malheureux,
Dans le temps que Titus attire tous ses vœux
Et que de vos vertus il goûte les prémices,
Se voie en un moment enlever ses délices.
Je crois, depuis cinq ans jusqu'à ce dernier jour,
Vous avoir assuré d'un véritable amour.
Ce n'est pas tout, je veux, en ce moment funeste,
Par un dernier effort couronner tout le reste.
Je vivrai, je suivrai vos ordres absolus.
Adieu, Seigneur. Régnez : je ne vous verrai plus.

(A Antiochus.)

. . . .

Sur Titus et sur moi réglez votre conduite :
Je l'aime, je le fuis ; Titus m'aime, il me quitte.
Portez loin de mes yeux vos soupirs et vos fers.
Adieu. Servons tous trois d'exemple à l'univers
De l'amour la plus tendre et la plus malheureuse
Dont il puisse garder l'histoire douloureuse.

. . . .

ACTE I, SCÈNE III

Phèdre

N'allons point plus avant, demeurons, chère Œnone.
Je ne me soutiens plus, ma force m'abandonne;
Mes yeux sont éblouis du jour que je revois,
Et mes genoux tremblants se dérobent sous moi.
. . . .

Que ces vains ornements, que ces voiles me pèsent!
Quelle importune main, en formant tous ces nœuds,
A pris soin sur mon front d'assembler mes cheveux?
Tout m'afflige et me nuit, et conspire à me nuire.
. . . .

Noble et brillant auteur d'une triste famille,
Toi dont ma mère osait se vanter d'être fille,
Qui peut-être rougis du trouble où tu me vois,
Soleil, je te viens voir pour la dernière fois!
. . . .

Dieux, que ne suis-je assise à l'ombre des forêts !
Quand pourrai-je, au travers d'une noble poussière,
Suivre de l'œil un char fuyant dans la carrière !

Œnone

Quoi ! Madame !

Phèdre

Insensée, où suis-je ? et qu'ai-je dit ?
Où laissé-je égarer mes vœux et mon esprit ?
Je l'ai perdu : les dieux m'en ont ravi l'usage.
Œnone, la rougeur me couvre le visage ;
Je te laisse trop voir mes honteuses douleurs,
Et mes yeux, malgré moi, se remplissent de pleurs.

ACTE I, SCÈNE III

Phèdre

Mon mal vient de plus loin. A peine au fils d'Égée
Sous les lois de l'hymen je m'étais engagée,
Mon repos, mon bonheur, semblait être affermi.
Athènes me montra mon superbe ennemi.
Je le vis : je rougis, je pâlis, à sa vue ;
Un trouble s'éleva dans mon âme éperdue ;
Mes yeux ne voyaient plus, je ne pouvais parler ;
Je sentis tout mon corps et transir et brûler.
Je reconnus Vénus et ses feux redoutables,
D'un sang qu'elle poursuit tourments inévitables.
Par des vœux assidus je crus les détourner :
Je lui bâtis un temple, et pris soin de l'orner ;
De victimes moi-même à toute heure entourée,
Je cherchais dans leur flanc ma raison égarée :
D'un incurable amour remèdes impuissants !
En vain sur les autels ma main brûlait l'encens ;
Quand ma bouche implorait le nom de la déesse,
J'adorais Hippolyte ; et, le voyant sans cesse,
Même au pied des autels que je faisais fumer,
J'offrais tout à ce dieu que je n'osais nommer.

. . . .

Vaines précautions! Cruelle destinée!
Par mon époux lui-même à Trézène amenée,
J'ai revu l'ennemi que j'avais éloigné.
Ma blessure trop vive aussitôt a saigné.
Ce n'est plus une ardeur dans mes veines cachée :
C'est Vénus tout entière à sa proie attachée.
J'ai conçu pour mon crime une juste terreur;
J'ai pris la vie en haine et ma flamme en horreur;
Je voulais en mourant prendre soin de ma gloire,
Et dérober au jour une flamme si noire :
Je n'ai pu soutenir tes larmes, tes combats;
Je t'ai tout avoué : je ne m'en repens pas,
Pourvu que, de ma mort respectant les approches,
Tu ne m'affliges plus par d'injustes reproches,
Et que tes vains secours cessent de rappeler
Un reste de chaleur tout prêt à s'exhaler.

ACTE II, SCÈNE V

Phèdre *(à Œnone)*

Le voici. Vers mon cœur tout mon sang se retire.
J'oublie, en le voyant, ce que je viens lui dire.

Œnone

Souvenez-vous d'un fils qui n'espère qu'en vous.

Phèdre

On dit qu'un prompt départ vous éloigne de nous,
Seigneur. A vos douleurs je viens joindre mes larmes.
Je vous viens pour un fils expliquer mes alarmes.
Mon fils n'a plus de père, et le jour n'est pas loin
Qui de ma mort encor doit le rendre témoin.
Déjà mille ennemis attaquent son enfance,
Vous seul pouvez contre eux embrasser sa défense.
Mais un secret remords agite mes esprits.
Je crains d'avoir fermé votre oreille à ses cris.
Je tremble que sur lui votre juste colère
Ne poursuive bientôt une odieuse mère.

Hippolyte

Madame, je n'ai point de sentiments si bas.

Phèdre

Quand vous me haïriez, je ne m'en plaindrais pas.
Seigneur : vous m'avez vue attachée à vous nuire ;
Dans le fond de mon cœur vous ne pouviez pas lire.
A votre inimitié j'ai pris soin de m'offrir.
Aux bords que j'habitais je n'ai pu vous souffrir :
En public, en secret, contre vous déclarée,
J'ai voulu par les mers en être séparée ;
J'ai même défendu, par une expresse loi,
Qu'on osât prononcer votre nom devant moi.
Si pourtant à l'offense on mesure la peine,
Si la haine peut seule attirer votre haine,
Jamais femme ne fut plus digne de pitié,
Et moins digne, Seigneur, de votre inimitié.

Hippolyte

Des droits de ses enfants une mère jalouse
Pardonne rarement au fils d'une autre épouse.
Madame, je le sais ; les soupçons importuns
Sont d'un second hymen les fruits les plus communs.
Toute autre aurait pour moi pris les mêmes ombrages.
Et j'en aurais peut-être essuyé plus d'outrages.

Phèdre

Ah ! Seigneur ! que le Ciel, j'ose ici l'attester,
De cette loi commune n'a voulu m'excepter !
Qu'un soin bien différent me trouble et me dévore !

Hippolyte

Madame, il n'est pas temps de vous troubler encore.
Peut-être votre époux voit encore le jour ;
Le ciel peut à nos pleurs accorder son retour.
Neptune le protège, et ce Dieu tutélaire
Ne sera pas en vain imploré par mon père.

Phèdre

On ne voit point deux fois le rivage des morts,
Seigneur. Puisque Thésée a vu les sombres bords,
En vain vous espérez qu'un dieu vous le renvoie,
Et l'avare Achéron ne lâche point sa proie.
Que dis-je ? Il n'est point mort, puisqu'il respire en vous.
Toujours devant mes yeux je crois voir mon époux.
Je le vois, je lui parle, et mon cœur... Je m'égare,
Seigneur ; ma folle ardeur malgré moi se déclare.

Hippolyte

Je vois de votre amour l'effet prodigieux.
Tout mort qu'il est, Thésée est à présent à vos yeux ;
Toujours de son amour votre âme est embrasée.

Phèdre

Oui, Prince, je languis, je brûle pour Thésée.
Je l'aime, non point tel que l'on vu les enfers
Volage adorateur de mille objets divers,
Qui va du dieu des morts déshonorer la couche ;
Mais fidèle, mais fier, et même un peu farouche,
Charmant, jeune, traînant tous les cœurs après soi,
Tel qu'on dépeint nos dieux, ou tel que je vous vois.
Il avait votre port, vos yeux, votre langage ;
Cette noble pudeur colorait son visage,
Lorsque de notre Crète il traversa les flots,
Digne sujet des vœux des filles de Minos.
Que faisiez-vous alors ? Pourquoi sans Hippolyte
Des héros de la Grèce assembla-t-il l'élite ?
Pourquoi, trop jeune encore, ne pûtes-vous alors
Entrer dans le vaisseau qui le mit sur nos bords ?
Par vous aurait péri le monstre de la Crète,
Malgré tous les détours de sa vaste retraite.
Pour en développer l'embarras incertain,
Ma sœur du fil fatal eût armé votre main.
Mais non : dans ce dessein je l'aurais devancée ;
L'amour m'en eût d'abord inspiré la pensée.

C'est moi, Prince, c'est moi dont l'utile secours
Vous eût du labyrinthe enseigné les détours.
Que de soin m'eût coûté cette tête charmante !
Un fil n'eût point assez rassuré votre amante :
Compagne du péril qu'il vous fallait chercher,
Moi-même devant vous j'aurais voulu marcher ;
Et Phèdre, au labyrinthe avec vous descendue,
Se serait avec vous retrouvée ou perdue.

Hippolyte

Dieux ! qu'est-ce que j'entends ? Madame, oubliez-vous
Que Thésée est mon père, et qu'il est votre époux ?

Phèdre

Et sur quoi jugez-vous que j'en perds la mémoire,
Prince ? Aurais-je perdu tout le soin de ma gloire ?

Hippolyte

Madame, pardonnez : j'avoue, en rougissant,
Que j'accusais à tort un discours innocent.
Ma honte ne peut plus soutenir votre vue.
Et je vais...

Phèdre

Ah ! cruel, tu m'as trop entendue !
Je t'en ai dit assez pour te tirer d'erreur.
Eh bien, connais donc Phèdre et toute sa fureur
J'aime.. Ne pense pas qu'au moment que je t'aime,
Innocente à mes yeux, je m'approuve moi-même,
Ni que du fol amour qui trouble ma raison
Ma lâche complaisance ait nourri le poison.
Objet infortuné des vengeances célestes,
Je m'abhorre encore plus que tu ne me détestes.
Les dieux m'en sont témoins, ces dieux qui dans mon flanc
Ont allumé le feu fatal à tout mon sang ;

Ces dieux qui se sont fait une gloire cruelle
De séduire le cœur d'une faible mortelle.
Toi-même en ton esprit rappelle le passé :
C'est peu de t'avoir fui, cruel, je t'ai chassé ;
J'ai voulu te paraître odieuse, inhumaine ;
Pour mieux te résister, j'ai recherché ta haine.
De quoi m'ont profité mes inutiles soins ?
Tu me haïssais plus, je ne t'aimais pas moins.
Tes malheurs te prêtaient encor de nouveaux charmes.
J'ai langui, j'ai séché, dans les feux, dans les larmes.
Il suffit de tes yeux pour t'en persuader,
Si tes yeux un moment pouvaient me regarder.
Que dis-je ? Cet aveu que je te viens de faire,
Cet aveu si honteux, le crois-tu volontaire ?
Tremblante pour un fils que je n'osais trahir,
Je te venais prier de ne le point haïr.
Faibles projets d'un cœur trop plein de ce qu'il aime !
Hélas ! je ne t'ai pu parler que de toi-même !
Venge-toi, punis-moi d'un odieux amour.
Digne fils du héros qui t'a donné le jour,
Délivre l'univers d'un monstre qui t'irrite,
La veuve de Thésée ose aimer Hippolyte !
Crois-moi, ce monstre affreux ne doit point t'échapper.
Voilà mon cœur. C'est là que ta main doit frapper.
Impatient déjà d'expier son offense,
Au-devant de ton bras je le sens qui s'avance.
Frappe ; ou, si tu le crois indigne de tes coups,
Si ta haine m'envie un supplice si doux,
Ou si d'un sang trop vil ta main serait trempée,
Au défaut de ton bras prête-moi ton épée.

HENRI DE RÉGNIER

1864-1936

Pour faire pleurer ceux qui passent

ODELETTE

Un petit roseau m'a suffi
Pour faire frémir l'herbe haute
Et tout le pré
Et les doux saules
Et le ruisseau qui chante aussi ;
Un petit ruisseau m'a suffi
A faire chanter la forêt.

Ceux qui passent l'ont entendu
Du fond du soir, en leurs pensées
Dans le silence et dans le vent,
Clair ou perdu,
Proche ou lointain…
Ceux qui passent en leurs pensées
En écoutant, au fond d'eux-mêmes
L'entendront encore et l'entendent
Toujours qui chante.

Il m'a suffi
De ce petit roseau cueilli
A la fontaine où vint l'Amour
Mirer, un jour,
Sa face grave
Et qui pleurait,

Pour faire pleurer ceux qui passent
Et trembler l'herbe et frémir l'eau ;
Et j'ai du souffle d'un roseau
Fait chanter toute la forêt.

Les Jeux rustiques et divins

PIERRE REVERDY

1889-1960

LA GARDE MONTE

Ça n'a jamais été l'oncle près du jour écossais
                    Mais l'homme au chandail vert dans
                    l'arrière-boutique
            Il mange
        La pendule ne pense plus à rien
                            Elle est vide
        Et sur l'asphalte propriété foncière de ce rêveur
sans bornes poussent de vrais animaux et la chair
nègre des grandes croisières
                Le vent suit le chemin qui mène à l'horizon
                    Ce carré est à moi et toute la chanson
                    Les barrières sont larges au fleuve d'arrosage
                Abattues les armées défilent sur la plage
Au bord du quai sous le navire
Ici le mot est difficile à dire
                        A peine cependant si les têtes se tournent
                devant l'immeuble neuf et sa lourde façade
            Et c'est bruyant triste relevé de goût et de sens
        L'homme est plus grand que la maison et presque
même que le chambranle de la porte où il appuie
toute sa force mais seulement l'épaule et le talon

Plupart du temps
(1919)

LE FLOT BERCEUR

Les rafles d'or sur le ravin des vagues
Quand les feuillets de la mer se replient page par
page
        Au bruit du vent
            Et des portées des voiles
On commence à s'habituer à tous ces airs
        A la couleur de l'eau
        Au mouvement des planches
        Au goût amer
Le phare a glissé ses ciseaux dans les draps de soleil
        Et les bateaux s'en vont sur l'amarre
        Le cabestan défait tourne et enroule
le port que ronge un peu la nuit
        On chante
        Le sable est balayé
Les lumières du fond de la colline ou bien du casino
        La voix de l'âne
      Au couchant
        Le soleil s'arrête comme un nid en feu
        dans les peupliers
Et la voiture grince au détour du chemin qui finit
sous la haie.
      Le marais sec déteint
        Les plantes sont plus rares

Et le train souligne la montagne en la longeant
                    On suit de l'œil
                    Le pays neuf
                    La terre propre
            Les pierres mieux polies par l'ombre du matin
Puis les nuages sèchent
                Près des rayons tordus d'autres astres se
                dressent
                Montent de l'eau
                Des rochers écumeux
                Qui soufflent
Et tout change de place
                        La cabane est venue au levant
            La pointe au cap levé derrière les ombrelles
                On ne voit que le jour
                    Les maisons disparaissent
                Les arbres s'évaporent
                Derrière le remblai le claquement des
                mains
On entend tous les bruits mais les yeux sont éteints
Le feu grille l'atmosphère et la peau de la terre
craque
                Le cheval décharné traverse le tunnel
                Et la montagne siffle
la queue perdue au bord des cils humides de la mer
                Sous les pattes de cet animal de terre
mouvante l'eau circule luisante et tiède
                        Pendant que les plantes se dressent
                        dans les replis des roches
                        Que les lames s'enflamment
                Et que le vent qui sort des tuyaux des machines
            des cheminées d'usines des soutes des navires
                        Plus noir plus lourd
                        Soulève la poussière qui va se figer
dans les endroits humides
                        En pyramides
                        En cercles mosaïques

Ou en simulacres de chaînes montagneuses irréelles
En cendre de cigare
Puis la fraîcheur revient avec le soir qui cache
l'incendie
Les voyageurs se promènent en noir
Sur la jetée
Sous le reflet luisant qui entoure leur tête
Sur les pierres brûlées qui retiennent la peau
Elles font partie de l'eau
Elles continuent le corps
Et les poissons battent le feu de leurs nageoires
A travers le sillage où bouillonne l'acier
Les étoiles prennent des formes de méduses
de poissons aveugles de matières grasses
Et un homme
Un seul
Demeure au bout du port
Il tient sa tête détachée entre ses mains et rit plus
fort
Tandis que la mer au sanglot de sa gorge
se calme et se balance
O grand phare

Plupart du temps
(1922)

TOUJOURS L'AMOUR

Sous les lueurs des plantes rares
les joues roses des cerisiers
les diamants de la distance
Et les perles dont elle se pare
Sous les lustres des flaques tièdes
A travers la campagne hachée
A travers les sommeils tranchés
A travers l'eau et les ornières
les pelouses des cimetières
A travers toi
Au bout du monde
Le monde couru pas à pas
Ton amour sous la roue du soir
A peine la force de ce geste de désespoir
A peine l'eau ridée sur le cours de ton sein
Contre le parapet fragile du destin
J'aime ces flocons blancs de la pensée perdue
dans le vent de l'hiver et le printemps mordu
Mon esprit délivré de ces chaînes anciennes
Et que la rouille a dénouées
Pour me serrer plus fort aujourd'hui dans les tiennes.

Sources du vent
(1929)

TOUJOURS L'AMOUR

Sous les lueurs des plantes rares
les joues roses des cerisiers
les diamants de la distance
Et les perles dont elle se pare
Sous les lustres des flaques tièdes
A travers la campagne hachée
A travers les sommeils tranchés
A travers l'eau et les ornières
les pelouses des cimetières
A travers toi
Au bout du monde
Le monde court pas à pas
Ton amour sous la roue du soir
A peine la force de ce geste de désespoir
A peine l'eau ridée sur le cours de ton sein
Contre le parapet fragile du destin
J'aime ces flocons blancs de la pensée perdue
dans le vent de l'hiver et le printemps mordu
Mon esprit délivré de ces chaînes anciennes
Et que la rouille a dénouées
Pour me serrer plus fort aujourd'hui dans les tiennes.

Sources du vent
(1929)

ARTHUR RIMBAUD

1854-1891

SENSATION

Par les soirs bleus d'été, j'irai dans les sentiers,
Picoté par les blés, fouler l'herbe menue :
Rêveur, j'en sentirai la fraîcheur à mes pieds.
Je laisserai le vent baigner ma tête nue.

Je ne parlerai pas, je ne penserai rien :
Mais l'amour infini me montera dans l'âme,
Et j'irai loin, bien loin, comme un bohémien,
Par la Nature, — heureux comme avec une femme.

(Mars 1870)

VOYELLES

A noir, E blanc, I rouge, U vert, O bleu : voyelles,
Je dirai quelque jour vos naissances latentes :
A, noir corset velu des mouches éclatantes
Qui bombinent autour des puanteurs cruelles,

Golfes d'ombre ; E, candeurs des vapeurs et des tentes,
Lances des glaciers fiers, rois blancs, frissons d'ombelles ;
I, pourpres, sang craché, rire des lèvres belles
Dans la colère ou les ivresses pénitentes ;

U, cycles, vibrements divins des mers virides,
Paix des pâtis semés d'animaux, paix des rides
Que l'alchimie imprime aux grands fronts studieux ;

O, suprême Clairon plein des strideurs étranges,
Silences traversés des Mondes et des Anges :
— O l'Oméga, rayon violet de Ses Yeux !

L'étoile a pleuré rose au cœur de tes oreilles
L'infini roulé blanc de ta nuque à tes reins
La mer a perlé rousse à tes mammes vermeilles
Et l'Homme saigné noir à ton flanc souverain.

LE BATEAU IVRE

. . . .

Or moi, bateau perdu sous les cheveux des anses,
Jeté par l'ouragan dans l'éther sans oiseau,
Moi dont les Monitors et les voiliers des Hanses
N'auraient pas repêché la carcasse ivre d'eau ;

Libre, fumant, monté de brumes violettes,
Moi qui trouais le ciel rougeoyant comme un mur
Qui porte, confiture exquise aux bons poètes,
Des lichens de soleil et des morves d'azur,

Qui courais, taché de lunules électriques,
Planche folle, escorté des hippocampes noirs,
Quand les juillets faisaient crouler à coups de triques
Les cieux ultramarins aux ardents entonnoirs ;

Moi qui tremblais, sentant geindre à cinquante lieues
Le rut des Béhémots et les Maelstroms épais,
Fileur éternel des immobilités bleues,
Je regrette l'Europe aux anciens parapets !

J'ai vu des archipels sidéraux ! et des îles
Dont les cieux délirants sont ouverts au vogueur :
— Est-ce en ces nuits sans fond que tu dors et t'exiles,
Million d'oiseaux d'or, ô future Vigueur ? —

Mais, vrai, j'ai trop pleuré ! Les Aubes sont navrantes.
Toute lune est atroce et tout soleil amer :
L'âcre amour m'a gonflé de torpeurs enivrantes.
Ô que ma quille éclate ! Ô que j'aille à la mer !

Si je désire une eau d'Europe, c'est la flache
Noire et froide où vers le crépuscule embaumé
Un enfant accroupi, plein de tristesses, lâche
Un bateau frêle comme un papillon de mai.

Je ne puis plus, baigné de vos langueurs, ô lames,
Enlever leur sillage aux porteurs de cotons,
Ni traverser l'orgueil des drapeaux et des flammes,
Ni nager sous les yeux horribles des pontons.

Vers nouveaux

LARME

Loin des oiseaux, des troupeaux, des villageoises,
Je buvais, accroupi dans quelque bruyère
Entourée de tendres bois de noisetiers,
Par un brouillard d'après-midi tiède et vert.

Que pouvais-je boire dans cette jeune Oise,
Ormeaux sans voix, gazon sans fleurs, ciel couvert?
Que tirais-je à la gourde de colocase?
. . . .

(Mai 1872)

COMÉDIE DE LA SOIF

1 - LES PARENTS

Nous sommes tes Grands-Parents,
Les Grands !
Couverts des froides sueurs
De la lune et des verdures.
Nos vins secs avaient du cœur !
Au soleil sans imposture
Que faut-il à l'homme ? boire.

Moi. — Mourir aux fleuves barbares.

Nous sommes tes Grands-Parents
Des champs.
L'eau est au fond des osiers :
Vois le courant du fossé
Autour du château mouillé.
Descendons en nos celliers ;
Après, le cidre et le lait.

Moi. — Aller où boivent les vaches.

Nous sommes tes Grands-Parents;
Tiens, prends
Les liqueurs dans nos armoires
Le Thé, le Café, si rares,
Frémissent dans les bouilloires.
— Vois les images, les fleurs.
Nous rentrons du cimetière.

Moi. — Ah! tarir toutes les urnes!

2 - L'ESPRIT

Eternelles Ondines
Divisez l'eau fine.
Vénus, sœur de l'azur,
Emeus le flot pur.

Juifs errants de Norwège
Dites-moi la neige.
Anciens exilés chers,
Dites-moi la mer.

Moi. — Non, plus ces boissons pures,

Ces fleurs d'eau pour verres,
Légendes ni figures
Ne me désaltèrent;

Chansonnier, ta filleule
C'est ma soif si folle
Hydre intime sans gueules
Qui mine et désole.

3. - LES AMIS

Viens, les vins vont aux plages,
Et les flots par millions !
Vois le Bitter sauvage
Rouler du haut des monts !

Gagnons, pèlerins sages,
L'absinthe aux verts piliers…

Moi. — Plus ces paysages.
Qu'est l'ivresse, Amis ?

J'aime autant, mieux, même,
Pourrir dans l'étang,
Sous l'affreuse crème,
Près des bois flottants.

4 - LE PAUVRE SONGE

Peut-être un Soir m'attend
Où je boirai tranquille
En quelque vieille Ville,
Et mourrai plus content :
Puisque je suis patient !

Si mon mal se résigne,
Si j'ai jamais quelque or,
Choisirai-je le Nord
Ou le Pays des Vignes ?…
— Ah ! songer est indigne

Puisque c'est pure perte !
Et si je redeviens
Le voyageur ancien,
Jamais l'auberge verte
Ne peut bien m'être ouverte.

5 - CONCLUSION

Les pigeons qui tremblent dans la prairie,
Le gibier, qui court et qui voit la nuit,
Les bêtes des eaux, la bête asservie,
Les derniers papillons !... ont soif aussi.

Mais fondre où fond ce nuage sans guide,
— Oh ! favorisé de ce qui est frais !
Expirer en ces violettes humides
Dont les aurores chargent ces forêts ?

(Mai 1872)

BONNE PENSÉE DU MATIN

A quatre heures du matin, l'été,
Le sommeil d'amour dure encore.
Sous les bosquets l'aube évapore
 L'odeur du soir fêté.

. . . .

(Mai 1872)

CHANSON DE LA PLUS HAUTE TOUR

Oisive jeunesse
A tout asservie,
Par délicatesse
J'ai perdu ma vie.
Ah ! Que le temps vienne
Où les cœurs s'éprennent.

Je me suis dit : laisse,
Et qu'on ne te voie :
Et sans la promesse
De plus hautes joies.
Que rien ne t'arrête
Auguste retraite.

J'ai tant fait patience
Qu'à jamais j'oublie ;
Craintes et souffrances
Aux cieux sont parties.
Et la soif malsaine
Obscurcit mes veines.

Ainsi la Prairie
A l'oubli livrée,
Grandie, et fleurie
D'encens et d'ivraies
Au bourdon farouche
De cent sales mouches.

Ah ! Mille veuvages
De la si pauvre âme
Qui n'a que l'image
De la Notre-Dame !
Est-ce que l'on prie
La Vierge Marie ?

Oisive jeunesse
A tout asservie
Par délicatesse
J'ai perdu ma vie.
Ah ! Que le temps vienne
Où les cœurs s'éprennent !

(Mai 1872)

L'ÉTERNITÉ

Elle est retrouvée.
Quoi? — L'Éternité.
C'est la mer allée
Avec le soleil.

Ame sentinelle,
Murmurons l'aveu
De la nuit si nulle
Et du jour en feu.

Des humains suffrages,
Des communs élans
Là tu te dégages
Et voles selon.

Puisque de vous seules,
Braises de satin,
Le Devoir s'exhale
Sans qu'on dise : enfin.

Là pas d'espérance,
Nul orietur.
Science avec patience,
Le supplice est sûr.

Elle est retrouvée.
Quoi ? — L'Eternité.
C'est la mer allée
Avec le soleil.

(Mai 1872)

O saisons, ô châteaux
Quelle âme est sans défauts?

O saisons, ô châteaux,

J'ai fait la magique étude
Du Bonheur, que nul n'élude.

O vive lui, chaque fois
Que chante le coq gaulois.

Mais! je n'aurai plus d'envie,
Il s'est chargé de ma vie.

Ce charme! il prit âme et corps,
Et dispersa tous efforts.

Que comprendre à ma parole?
Il fait qu'elle fuie et vole!

O saisons, ô châteaux!

[Et si le malheur m'entraîne,
Sa disgrâce m'est certaine.

Il faut que son dédain, las!
Me livre au plus prompt trépas!

— O Saisons, ô Châteaux [1] !]

Une saison en enfer
(1873)

JADIS, SI JE ME SOUVIENS BIEN

« Jadis, si je me souviens bien, ma vie était un festin où s'ouvraient tous les cœurs, où tous les vins coulaient.

Un soir, j'ai assis la Beauté sur mes genoux. — Et je l'ai trouvée amère. — Et je l'ai injuriée.

Je me suis armé contre la justice.

Je me suis enfui. O sorcières, ô misère, ô haine, c'est à vous que mon trésor a été confié !

Je parvins à faire s'évanouir dans mon esprit toute l'espérance humaine. Sur toute joie pour l'étrangler j'ai fait le bond sourd de la bête féroce.

J'ai appelé les bourreaux pour, en périssant, mordre la crosse de leurs fusils. J'ai appelé les fléaux, pour m'étouffer avec le sable, le sang. Le malheur a été mon dieu. Je me suis allongé dans la boue. Je me suis séché à l'air du crime. Et j'ai joué de bons tours à la folie.

Et le printemps m'a apporté l'affreux rire de l'idiot.

Or, tout dernièrement m'étant trouvé sur le point de faire le dernier *couac !* j'ai songé à rechercher la clef du festin ancien, où je reprendrais peut-être appétit.

La charité est cette clef. — Cette inspiration prouve que j'ai rêvé !

« Tu resteras hyène, etc... », se récrie le démon qui me couronna de si aimables pavots. « Gagne la mort avec tous tes appétits, et ton égoïsme et tous les péchés capitaux. »

Ah! j'en ai trop pris : — Mais, cher Satan, je vous en
conjure, une prunelle moins irritée! et en attendant les quelques
petites lâchetés en retard, vous qui aimez dans l'écrivain l'absence des facultés descriptives ou instructives, je vous détache
ces quelques hideux feuillets de mon carnet de damné.

APRÈS LE DÉLUGE

Aussitôt que l'idée du Déluge se fut rassise,

Un lièvre s'arrêta dans les sainfoins et les clochettes mouvantes et dit sa prière à l'arc-en-ciel à travers la toile de l'araignée.

Oh! les pierres précieuses qui se cachaient, — les fleurs qui regardaient déjà.

Dans la grande rue sale les étals se dressèrent, et l'on tira les barques vers la mer étagée là-haut comme sur les gravures.

Le sang coula, chez Barbe-Bleue, — aux abattoirs, — dans les cirques, où le sceau de Dieu blêmit les fenêtres. Le sang et le lait coulèrent.

Les castors bâtirent. Les « mazagrans [1] » fumèrent dans les estaminets.

Dans la grande maison de vitres encore ruisselante les enfants en deuil regardèrent les merveilleuses images.

Une porte claqua, — et sur la place du hameau, l'enfant tourna ses bras, compris des girouettes et des coqs des clochers de partout, sous l'éclatante giboulée.

Madame*** établit un piano dans les Alpes. La messe et les premières communions se célébrèrent aux cent mille autels de la cathédrale.

---

1. Le « mazagran » est un mélange chaud de gnole et de café servi dans un verre.

Les caravanes partirent. Et le Splendide-Hôtel fut bâti dans le chaos de glaces et de nuit du pôle.

Depuis lors, la Lune entendit les chacals piaulant par les déserts de thym, — et les églogues en sabots grognant dans le verger. Puis, dans la futaie violette, bourgeonnante, Eucharis me dit que c'était le printemps.

— Sourds, étang, — Écume, roule sur le pont et par-dessus les bois ; — draps noirs et orgues, — éclairs et tonnerre, — montez et roulez ; — Eaux et tristesses, montez et relevez les Déluges.

Car depuis qu'ils se sont dissipés, — oh les pierres précieuses s'enfouissant, et les fleurs ouvertes ! — c'est un ennui ! et la Reine, la Sorcière qui allume sa braise dans le pot de terre, ne voudra jamais nous raconter ce qu'elle sait, et que nous ignorons.

AUBE

J'ai embrassé l'aube d'été.

Rien ne bougeait encore au front des palais. L'eau était morte. Les camps d'ombres ne quittaient pas la route du bois. J'ai marché, réveillant les haleines vives et tièdes, et les pierreries regardèrent, et les ailes se levèrent sans bruit.

La première entreprise fut, dans le sentier déjà empli de frais et blêmes éclats, une fleur qui me dit son nom.

Je ris au Wasserfall blond qui s'échevela à travers les sapins : à la cime argentée je reconnus la déesse.

Alors je levai un à un les voiles. Dans l'allée, en agitant les bras. Par la plaine, où je l'ai dénoncée au coq. A la grand'ville elle fuyait parmi les clochers et les dômes, et courant comme un mendiant sur les quais de marbre, je la chassais.

En haut de la route, près d'un bois de lauriers, je l'ai entourée avec ses voiles amassés, et j'ai senti un peu son immense corps. L'aube et l'enfant tombèrent au bas du bois.

Au réveil il était midi.

DÉVOTION

A ma sœur Louise Vanaen de Voringhem : — Sa cornette bleue tournée à la mer du Nord. — Pour les naufragés.

A ma sœur Léonie Aubois d'Ashby. Baou — l'herbe d'été bourdonnante et puante. — Pour la fièvre des mères et des enfants.

A Lulu, — démon — qui a conservé un goût pour les oratoires du temps des Amies et de mon éducation incomplète. Pour les hommes ! A madame***.

A l'adolescent que je fus. A ce saint vieillard, ermitage ou mission.

A l'esprit des pauvres. Et à un très haut clergé.

Aussi bien à tout culte en telle place de culte mémoriale et parmi tels événements qu'il faille se rendre, suivant les aspirations du moment ou bien notre propre vice sérieux.

Ce soir à Circeto des hautes glaces, grasse comme le poisson, et enluminée comme les dix mois de la nuit rouge, — (son cœur ambre et spunk), — pour ma seule prière muette comme ces régions de nuit et précédant des bravoures plus violentes que ce chaos polaire.

A tout prix et avec tous les airs, même dans des voyages métaphysiques. — Mais plus *alors*.

PIERRE DE RONSARD

1524-1585

AMOURS DE CASSANDRE

Ces liens d'or, ceste bouche vermeille,
Pleine de lis, de roses et d'œillets,
Et ces sourcis deux croissans nouvelets,
Et ceste joue à l'Aurore pareille ;
    Ces mains, ce col, ce front, et ceste oreille,
Et de ce sein les boutons verdelets,
Et de ces yeux les astres jumelets,
Qui font trembler les ames de merveille,
    Firent nicher Amour dedans mon sein,
Qui gros de germe avoit le ventre plein
D'œufs non formez qu'en nostre sang il couve.
    Comment vivroy-je autrement qu'en langueur,
Quand une engence immortelle je trouve,
D'Amours esclos et couvez en mon cueur ?

Une beauté de quinze ans enfantine,
Un or frisé de meint crespe anelet,
Un front de rose, un teint damoiselet,
Un ris qui l'ame aux Astres achemine;
   Une vertu de telle beauté digne,
Un col de neige, une gorge de lait,
Un cœur jà meur en un sein verdelet,
En Dame humaine une beauté divine;
   Un œil puissant de faire jours les nuis,
Une main douce à forcer les ennuis,
Qui tient ma vie en ses doits enfermée;
   Avec un chant decoupé doucement
Or' d'un souris, or' d'un gemissement,
De tels sorciers ma raison fut charmée.

Quand au matin ma Deesse s'habille,
D'un riche or crespe ombrageant ses talons,
Et les filets de ses beaux cheveux blons
En cent façons enonde et entortille,

Je l'accompare à l'escumiere fille
Qui or'[1] pignant les siens brunement lons,
Or' les frizant en mille crespillons,
Passoit la mer portée en sa coquille.

De femme humaine encore ne sont pas
Son ris, son front, ses gestes, ne[2] ses pas,
Ne de ses yeux l'une et l'autre estincelle.

Rocs, eaux, ne bois, ne logent point en eux,
Nymphe qui ait si follastres cheveux,
Ny l'œil si beau, ny la bouche si belle.

1. Tantôt.
2. Ni.

Je veux mourir pour tes beautez, Maistresse,
Pour ce bel œil, qui me prit à son hain [1],
Pour ce doux ris, pour ce baiser tout plein
D'ambre et de musq, baiser d'une Deesse.

Je veux mourir pour ceste blonde tresse,
Pour l'embompoinct de ce trop chaste sein,
Pour la rigueur de ceste douce main,
Qui tout d'un coup me guerit et me blesse.

Je veux mourir pour le brun de ce teint,
Pour ceste voix, dont le beau chant m'estreint
Si fort le cœur, que seul il en dispose.

Je veux mourir és amoureux combas,
Soulant l'amour, qu'au sang je porte enclose,
Toute une nuit au milieu de tes bras.

---

1. Hameçon.

Comme un chevreuil, quand le printemps détruit
Du froid hyver la poignante gelée,
Pour mieux brouter la fueille emmiëlée,
Hors de son bois avec l'Aube s'enfuit,

Et seul, et seur, loin de chiens et de bruit,
Or' sur un mont, or' dans une valée,
Or' pres d'une onde à l'escart recelée,
Libre, folastre où son pié le conduit,

De rets ne d'arc sa liberté n'a crainte
Sinon alors que sa vie est attainte
D'un trait meurtrier empourpré de son sang.

Ainsi j'alloy sans espoir de dommage,
Le jour qu'un œil sur l'avril de mon âge
Tira d'un coup mille traits en mon flanc.

Quand je te voy discourant à par-toy,
Toute amusée avecques ta pensee,
Un peu la teste encontre bas baissee,
Te retirant du vulgaire et de moy,

    Je veux souvent pour rompre ton esmoy,
Te saluer, mais ma voix offensee,
De trop de peur se retient amassee
Dedans la bouche, et me laisse tout coy.

    Mon œil confus ne peut souffrir ta veuë,
De ses rayons mon ame tremble esmeuë;
Langue ne voix ne font leur action.

    Seuls mes souspirs, seul mon triste visage
Parlent pour moy, et telle passion
De mon amour donne assez tesmoignage.

Le Second Livre des amours

AMOURS DE MARIE

Morphée, si en songe il te plaist presenter
Ceste nuit ma maistresse aussi belle et gentille
Que je la vy le soir que sa vive scintille [1]
Par un poignant regard vint mes yeux enchanter,

  Et s'il te plaist, ô Dieu, tant soi peu d'alenter [2],
Miserable souhait, de sa feinte inutile
Le feu qu'Amour me vient de son aile sutile
Tout alentour du cœur sans repos esventer,

  J'apendray sur mon lit ta peinture plumeuse
En la mesme façon que je t'auray conceu
La nuict par le plaisir de ta forme douteuse,

  Et comme Jupiter à Troye fut deceu
Du Somme et de Junon, apres avoir receu
De la simple Venus la ceinture amoureuse.

---

1. Étincelle.
2. Apaiser.

Si quelque amoureux passe en Anjou par Bourgueil,
Voye un pin qui s'esleve au dessus du village,
Et là, sur le sommet de son pointu fueillage,
Voirra ma liberté, trofée d'un bel œil,

Qu'Amour victorieux, qui se plaist de mon dueil,
Appendit pour sa pompe et mon servil hommage,
A fin qu'à tous passans elle fust tesmoignage
Que l'amoureuse vie est un plaisant cercueil.

Je ne pouvois trouver plante plus estimée
Pour pendre ma despouille, en qui fut transformée
La jeune peau d'Atys dessur le mont Idé.

Mais entre Atys et moy il y a difference :
C'est qu'il fut amoureux d'un visage ridé,
Et moy, d'une beauté qui ne sort que d'enfance.

J'avois cent fois juré de jamais ne revoir,
O serment d'amoureux! l'angelique visage
Qui depuis quinze mois en peine et en servage
Emprisonne mon cœur que je ne puis r'avoir.

J'en avois fait serment; mais je n'ay le pouvoir
D'estre seigneur de moy, tant mon traistre courage,
Violenté d'amour et conduit par usage,
Y reconduit mes pieds, abusé d'un espoir.

Le Destin, Pardaillan, est une forte chose:
L'homme dedans son cœur ses affaires dispose,
Le Ciel faisant tourner ses desseins au rebours.

Je sçay bien que je fais ce que je ne doy faire,
Je sçay bien que je suy de trop folles amours;
Mais quoy! puis que le Ciel delibere au contraire?

SUR LA MORT DE MARIE

     Comme on voit sur la branche au mois de may la rose,
En sa belle jeunesse, en sa premiere fleur,
Rendre le ciel jaloux de sa vive couleur,
Quand l'Aube de ses pleurs au poinct du jour l'arrose ;
     La grace dans sa fueille, et l'amour se repose,
Embasmant les jardins et les arbres d'odeur ;
Mais batue ou de pluye, ou d'excessive ardeur,
Languissante elle meurt, fueille à fueille déclose.
     Ainsi en ta premiere et jeune nouveauté,
Quand la Terre et le Ciel honoraient ta beauté,
La Parque t'a tuee, et cendre tu reposes.
     Pour obseques reçoy mes larmes et mes pleurs,
Ce vase pleine de laict, ce panier plein de fleurs,
Afin que vif et mort ton corps ne soit que roses.

Quand je pense à ce jour, où je la vy si belle
Toute flamber d'amour, d'honneur et de vertu,
Le regret, comme un traict mortellement pointu,
Me traverse le cœur d'une playe eternelle.

Alors que j'esperois la bonne grace d'elle,
Amour a mon espoir par la mort combatu ;
La mort a son beau corps d'un cercueil revestu,
Dont j'esperois la paix de ma longue querelle.

Amour, tu es enfant inconstant et leger ;
Monde, tu es trompeur, pipeur et mensonger,
Decevant d'un chacun l'attente et le courage.

Malheureux qui se fie en l'Amour et en toy !
Tous deux comme la mer vous n'avez point de foy
La mer tousjours parjure, Amour tousjours volage.

ÉPITAPHE DE MARIE

Cy reposent les os de la belle Marie,
Qui me fist pour Anjou quitter mon Vandomois,
Qui m'eschaufa le sang au plus verd de mes mois,
Qui fut toute mon Tout, mon bien et mon envie.

  En sa tombe repose honneur et courtoisie,
Et la jeune beauté qu'en l'ame je sentois,
Et le flambeau d'Amour, ses traits et son carquois,
Et ensemble mon cœur, mes pensers et ma vie.

  Tu es, belle Angevine, un bel astre des cieux;
Les Anges tous ravis se paissent de tes yeux.
La terre te regrette. O beauté sans seconde!

  Maintenant tu es vive, et je suis mort d'ennuy.
Malheureux qui se fie en l'attente d'autruy!
Trois amis m'ont deceu: toy, l'Amour, et le monde.

Sonnets pour Hélène

Le premier jour de may, Helene, je vous jure
Par Castor, par Pollux, vos deux freres jumeaux,
Par la vigne enlassee à l'entour des ormeaux,
Par les prez, par les bois herissez de verdure,

Par le nouveau Printemps, fils aisné de Nature,
Par le cristal qui roule au giron des ruisseaux,
Par tous les rossignols, miracle des oiseaux,
Que seule vous serez ma derniere aventure.

Vous seule me plaisez, j'ay par election
Et non à la volée aimé vostre jeunesse.
Aussi je prens en gré toute ma passion,

Je suis de ma fortune autheur, je le confesse :
La vertu m'a conduit en telle affection.
Si la vertu me trompe, adieu belle Maistresse !

Te regardant assise aupres de ta cousine,
Belle comme une Aurore, et toy comme un Soleil,
Je pensay voir deux fleurs d'un mesme teint pareil,
Croissantes en beauté, l'une à l'autre voisine.
    La chaste, saincte, belle et unique Angevine,
Viste comme un esclair sur moy jetta son œil.
Toy, comme paresseuse et pleine de sommeil,
D'un seul petit regard tu ne m'estimas digne.
    Tu t'entretenois seule au visage abaissé,
Pensive toute à toy, n'aimant rien que toy-mesme,
Desdaignant un chacun d'un sourcil ramassé,
    Comme une qui ne veut qu'on la cherche ou qu'on
[l'aime.
J'eu peur de ton silence, et m'en allay tout blesme,
Craignant que mon salut n'eust ton œil offensé.

Tant de fois s'appointer, tant de fois se fascher,
Tant de fois rompre ensemble et puis se renoüer,
Tantost blasmer Amour et tantost le loër,
Tant de fois se fuyr, tant de fois se chercher,
Tant de fois se monstrer, tant de fois se cacher,
Tantost se mettre au joug, tantost le secouer,
Advouer sa promesse et la desadvouer,
Sont signes que l'Amour de pres nous vient toucher.
L'inconstance amoureuse est marque d'amitié.
Si donc tout à la fois avoir haine et pitié,
Jurer, se parjurer, sermens faicts et desfaicts,
Esperer sans espoir, confort sans reconfort,
Sont vrais signes d'amour, nous entr'aimons bien fort
Car nous avons toujours ou la guerre, ou la paix.

Comme une belle fleur assise entre les fleurs,
Mainte herbe vous cueillez en la saison plus tendre,
Pour me les envoyer, et pour soigneuse apprendre
Leurs noms et qualitez, especes et valeurs.

Estoit-ce point afin de guarir mes douleurs,
Ou de faire ma playe amoureuse reprendre ?
Ou bien s'il vous plaisoit par charmes entreprendre
D'ensorceler mon mal, mes flames et mes pleurs ?

Certes je croy que non : nulle herbe n'est maistresse
Contre le coup d'Amour envieilly par le temps.
C'estoit pour m'enseigner qu'il faut dés la jeunesse,

Comme d'un usufruit, prendre son passetemps,
Que pas à pas nous suit l'importune vieillesse,
Et qu'Amour et les fleurs ne durent qu'un Printemps.

Afin qu'à tout jamais de siecle en siecle vive
La parfaite amitié que Ronsard vous portoit,
Comme vostre beauté la raison luy ostoit,
Comme vous enchaisnez sa liberté captive;
    A fin que d'âge en âge à nos neveux arrive
Que toute dans mon sang vostre figure estoit,
Et que rien sinon vous mon cœur ne souhaitoit,
Je vous fais un present de ceste Sempervive.
    Elle vit longuement en sa jeune verdeur :
Long temps apres la mort je vous feray revivre,
Tant peut le docte soin d'un gentil serviteur,
    Qui veut en vous servant toutes vertus ensuivre.
Vous vivrez, croyez-moi, comme Laure en grandeur,
Au moins tant que vivront les plumes et le livre.

Quand vous serez bien vieille, au soir à la chandelle,
Assise aupres du feu, devidant et filant,
Direz chantant mes vers, en vous esmerveillant :
« Ronsard me celebroit du temps que j'estois belle. »
Lors vous n'aurez servante oyant telle nouvelle,
Desja sous le labeur à demy sommeillant,
Qui au bruit de mon nom ne s'aille resveillant,
Benissant vostre nom de louange immortelle.
Je seray sous la terre, et fantôme sans os
Par les ombres myrteux je prendreay mon repos ;
Vous serez au fouyer une vieille accroupie,
Regrettant mon amour et vostre fier desdain.
Vivez, si m'en croyez, n'attendez à demain :
Cueillez dés aujourdhuy les roses de la vie.

Je plante en ta faveur cest arbre de Cybelle,
Ce pin, où tes honneurs se liront tous les jours :
J'ay gravé sur le tronc nos noms et nos amours,
Qui croistront à l'envy de l'escorce nouvelle.

Faunes qui habitez ma terre paternelle,
Qui menez sur le Loir vos dances et vos tours,
Favorisez la plante et luy donnez secours,
Que l'Esté ne la brusle, et l'Hyver ne la gelle.

Pasteur, qui conduiras en ce lieu ton troupeau,
Flageolant une Eclogue en ton tuyau d'aveine,
Attache tous les ans à cest arbre un tableau,

Qui tesmoigne aux passans mes amours et ma peine ;
Puis l'arrosant de laict et du sang d'un agneau,
Dy : « Ce pin est sacré, c'est la plante d'Helene. »

Adieu, belle Cassandre, et vous, belle Marie,
Pour qui je fu trois ans en servage à Bourgueil :
L'une vit, l'autre est morte, et ores de son œil
Le Ciel se resjouïst dont la terre est marrie.
    Sur mon premier avril, d'une amoureuse envie
J'adoray vos beautez ; mais vostre fier orgueil
Ne s'amollit jamais pour larmes ny pour dueil,
Tant d'une gauche main la Parque ourdit ma vie.
    Maintenant en Automne encores malheureux,
Je vy comme au Printemps de nature amoureux,
A fin que tout mon âge aille au gré de la peine.
    Ores que je deusse estre affranchi du harnois,
Mon maistre Amour m'envoye à grands coups de carquois
R'assieger Ilion pour conquérir Heleine.

Quand je pense à ce jour où, près d'une fonteine,
Dans le jardin royal ravy de ta douceur,
Amour te descouvrit les secrets de mon cœur,
Et de combien de maux j'avois mon ame pleine,

Je me pasme de joye, et sens de veine en veine
Couler ce souvenir, qui me donne vigueur,
M'aguise le penser, me chasse la langueur,
Pour esperer un jour une fin à ma peine.

Mes sens de toutes parts se trouverent contens,
Mes yeux en regardant la fleur de ton Printemps,
L'oreille en t'escoutant, et sans ceste compagne

Qui tousjours nos propos tranchoit par le milieu,
D'aise au Ciel je volais, et me faisois un Dieu;
Mais toujours le plaisir de douleur s'accompagne.

LES AMOURS DIVERSES

Amour, tu me fis voir pour trois grandes merveilles
Trois sœurs allant au soir se promener sur l'eau,
Qui croissent à l'envy, ainsi qu'au renouveau
Croissent en l'orenger trois orenges pareilles.

Toutes les trois avoyent trois beautez nompareilles,
Mais la plus jeune avoit le visage plus beau,
Et sembloit une fleur voisine d'un ruisseau,
Qui mire dans ses eaux ses richesses vermeilles.

Ores je souhaitois la plus vieille en mes vœux,
Et ores la moyenne, et ores toutes deux,
Mais tousjours la plus jeune estoit en ma pensée,

Et priois le Soleil de n'emmener le jour,
Car ma veuë en trois ans n'eust pas esté lassée
De voir ces trois Soleils qui m'enflamoyent d'amour.

Mignonne, allons voir si la rose
Qui ce matin avoit desclose
Sa robe de pourpre au Soleil,
A point perdu ceste vesprée
Les plis de sa robe pourprée,
Et son teint au vostre pareil.

Las! voyez comme en peu d'espace,
Mignonne, elle a dessus la place
Las! las! ses beautez laissé cheoir!
O vrayment marastre Nature,
Puis qu'une telle fleur ne dure
Que du matin jusques au soir!

Donc, si vous me croyez, mignonne,
Tandis que vostre âge fleuronne
En sa plus verte nouveauté,
Cueillez, cueillez vostre jeunesse:
Comme à ceste fleur la vieillesse
Fera ternir vostre beauté.

Fay refraischir mon vin de sorte
Qu'il passe en froideur un glaçon;
Fay venir Janne, qu'elle apporte
Son luth pour dire une chanson :
Nous ballerons tous trois au son;
Et dy à Barbe qu'elle vienne,
Les cheveux tors à la façon
D'une follastre Italienne.

Ne vois-tu que le jour se passe ?
Je ne vy point au lendemain.
Page, reverse dans ma tasse,
Que ce grand verre soit tout plain.
Maudit soit qui languit en vain,
Ces vieux Medecins je n'appreuve :
Mon cerveau n'est jamais bien sain,
Si beaucoup de vin ne l'abreuve.

Pièces posthumes

LES DERNIERS VERS
(1586)

STANCES

J'ay varié ma vie en devidant la trame
Que Clothon me filoit entre malade et sain :
Maintenant la santé se logeoit en mon sein,
Tantost la maladie, extreme fleau [1] de l'ame.

La goutte jà vieillard me bourrela les veines,
Les muscles et les nerfs, execrable douleur,
Montrant en cent façons par cent diverses peines
Que l'homme n'est sinon le subject de malheur.

L'un meurt en son printemps, l'autre attend la vieillesse,
Le trespas est tout un, les accidens divers ;
Le vray tresor de l'homme est la verte jeunesse,
Le reste de nos ans ne sont que des hyvers.

Pour long temps conserver telle richesse entiere,
Ne force ta nature, ains [2] ensuy la raison,
Fuy l'amour et le vin, des vices la matiere :
Grand loyer t'en demeure en la vieille saison.

La jeunesse des Dieux aux hommes n'est donnée
Pour gouspiller sa fleur : ainsi qu'on voit fanir
La rose par le chauld, ainsi, mal gouvernée,
La jeunesse s'enfuit sans jamais revenir.

---

1. Compte pour un seul pied : prononcer « flo ».
2. Mais.

SONETS [1]

I

Je n'ay plus que les os, un squelette je semble,
Decharné, denervé, demusclé, depoulpé,
Que le trait de la Mort sans pardon a frappé :
Je n'ose voir mes bras que de peur je ne tremble.

Apollon et son filz, deux grans maistres ensemble,
Ne me sçauroient guerir; leur mestier m'a trompé,
Adieu, plaisant Soleil ! mon œil est estoupé,
Mon corps s'en va descendre où tout se desassemble.

Quel amy me voyant en ce point despouillé
Ne remporte au logis un œil triste et mouillé,
Me consolant au lict et me baisant la face,

En essuiant mes yeux par la Mort endormis ?
Adieu, chers compaignons, adieu, mes chers amis !
Je m'en vay le premier vous preparer la place.

---

1. Conforme à l'orthographe de Ronsard.

II

Meschantes Nuicts d'hyver, Nuicts, filles de Cocyte
Que la Terre engendra, d'Encelade les seurs,
Serpents d'Alecton, et fureur des fureurs,
N'approchez de mon lict, ou bien tournez plus vite.

    Que fait tant le Soleil au gyron d'Amphytrite ?
Leve-toy, je languis accablé de douleurs ;
Mais ne pouvoir dormir, c'est bien de mes malheurs
Le plus grand, qui ma vie et chagrine et despite.

    Seize heures pour le moins je meur les yeux ouvers,
Me tournant, me virant de droit et de travers,
Sus l'un, sus l'autre flanc ; je tempeste, je crie,

    Inquiet je ne puis en un lieu me tenir,
J'appelle en vain le Jour, et la Mort je supplie,
Mais elle fait la sourde et ne veut pas venir.

III

     Donne-moy tes presens en ces jours que la brume
Fait les plus courts de l'an, ou de ton rameau teint
Dans le ruisseau d'Oubly dessus mon front espreint,
Endor mes pauvres yeux, mes gouttes et mon rhume.
     Misericorde, ô Dieu ! ô Dieu, ne me consume
A faulte de dormir; plustost sois-je contreint
De me voir par la peste ou par la fievre esteint,
Qui mon sang deseché dans mes veines allume.
     Heureux, cent fois heureux, animaux qui dormez
Demy an en voz trous, soubs la terre enfermez,
Sans manger du pavot, qui tous les sens assomme !
     J'en ay mangé, j'ay beu de son just oublieux,
En salade, cuit, cru, et toutesfois le Somme
Ne vient par sa froideur s'asseoir dessus mes yeux.

IV

Ah! Longues Nuicts d'hyver, de ma vie bourrelles
Donnez-moy patience, et me laissez dormir!
Vostre nom seulement et suer et fremir
Me fait par tout le corps, tant vous m'estes cruelles.

Le Sommeil tant soit peu n'esvente de ses ailes
Mes yeux tousjours ouvers, et ne puis affermir
Paupiere sur paupiere, et ne fais que gemir,
Souffrant comme Ixion des peines eternelles.

Vieille umbre de la terre, ainçois [1] l'umbre d'Enfer,
Tu m'as ouvert les yeux d'une chaisne de fer,
Me consumant au lict, navré de mille pointes :

Pour chasser mes douleurs ameine moy la Mort.
Hà! Mort, le port commun, des hommes le confort,
Viens enterrer mes maux, je t'en prie à mains jointes!

---

1. Plutôt.

V

Quoy! mon ame, dors-tu engourdie en ta masse?
La trompette a sonné, serre bagage, et va
Le chemin deserté, que Jesus-Christ trouva,
Quand tout mouillé de sang racheta nostre race.

C'est un chemin facheux, borné de peu d'espace,
Tracé de peu de gens, que la ronce pava,
Où le chardon poignant ses testes esleva;
Pren courage pourtant, et ne quitte la place.

N'appose point la main à la mansine, apres,
Pour ficher ta charüe au milieu des guerets,
Retournant coup sur coup en arriere ta vüe.

Il me faut commencer, ou du tout s'emploier,
Il ne faut point mener, puis laisser la charüe;
Qui laisse son mestier, n'est digne du loier.

VI

Il faut laisser maisons et vergers et jardins,
Vaisselles et vaisseaux que l'artisan burine,
Et chanter son obseque en la façon du Cygne,
Qui chante son trespas sur les bors Maeandrins.

C'est fait, j'ay devidé le cours de mes destins,
J'ay vescu, j'ay rendu mon nom assez insigne,
Ma plume vole au Ciel pour estre quelque signe,
Loin des appas mondains, qui trompent les plus fins.

Heureux qui ne fut onc, plus heureux qui retourne
En rien comme il estoit, plus heureux qui sejourne,
D'homme, fait nouvel ange, aupres de Jesus-Christ,

Laissant pourrir çà-bas sa despouille de boüe,
Dont le Sort, la Fortune, et le Destin se joüe,
Franc des liens du corps pour n'estre qu'un esprit.

Pièces retranchées
(1553-1584)

ÉPITAPHE DE FRANÇOIS RABELAIS

Si d'un mort qui pourri repose
Nature engendre quelque chose,
Et si la generation
Est faite de corruption
Une vigne prendra naissance
De l'estomac et de la pance
Du bon Rabelais, qui boivoit
Toujours ce-pendant qu'il vivoit,
Car d'un seul trait sa grande gueule
Eust plus beu de vin toute seule,
L'epuisant du nez en deux cous,
Qu'un porc ne hume de lait doux,
Qu'Iris de fleuves, ne qu'encore
De vagues le rivage more.
Jamais le Soleil ne l'a veu,
Tant fust-il matin, qu'il n'eust beu,
Et jamais au soir la nuit noire,
Tant fust tard, ne l'a veu sans boire,
Car alteré, sans nul sejour,
Le gallant boivoit nuit et jour.
Mais quand l'ardente Canicule
Ramenoit la saison qui brule,
Demi-nus se troussoit les bras,
Et se couchoit tout plat à bas

Sur la jonchée entre les tasses,
Et, parmi des escuelles grasses
Sans nulle honte se touillant,
Alloit dans le vin barbouillant
Comme une grenouille en la fange;
Puis yvre chantoit la louange
De son ami le bon Bacchus,
Comme sous luy furent vaincus
Les Thebains, et comme sa mere
Trop chaudement receut son pere,
Qui en lieu de faire cela,
Las! toute vie la brula.
Il chantoit la grande massuë,
Et la jument de Gargantuë,
Le grand Panurge et le païs
Des Papimanes ébaïs,
Leurs loix, leurs façons et demeures,
Et frere Jean des Antoumeures,
Et d'Episteme les combas;
Mais la Mort, qui ne boivoit pas,
Tira le beuveur de ce monde,
Et d'ores le fait boire en l'onde
Qui fuit trouble dans le giron
Du large fleuve d'Acheron.
Or toy, quiconques sois, qui passes,
Sur sa fosse répen des taces,
Répen du bril et des flacons,
Des cervelas et des jambons;
Car si encor dessous la lame
Quelque sentiment a son ame,
Il les aime mieus que des lis,
Tant soyent ils fraichement cueillis.

Je vous envoye un bouquet, que ma main
Vient de trier de ces fleurs épanies ;
Qui ne les eust à ce vespre cueillies,
Cheutes à terre elles fussent demain.

Cela vous soit un exemple certain,
Que vos beautez, bien qu'elles soient fleuries,
En peu de tems cherront toutes fletries,
Et, comme fleurs, periront tout soudain.

Le tems s'en va, le tems s'en va, ma Dame,
Las ! le tems non, mais nous nous en allons,
Et tost serons estendus sous la lame,

Et des amours, desquelles nous parlons,
Quand serons morts, n'en sera plus nouvelle :
Pource aimez moy, cependant qu'estes belle.

Pourtant si ta maitresse est un petit putain,
Tu ne dois pour cela te courrousser contre elle.
Voudrois-tu bien hayr ton ami plus fidelle
Pour estre un peu jureur ou trop haut à la main?
    Il ne faut prendre ainsi tous pechés à dedain,
Quand la faute en pechant n'est pas continuelle;
Puis il faut endurer d'une maitresse belle
Qui confesse sa faute, et s'en repent soudain.
    Tu me diras qu'honneste et gentille est t'amie,
Et je te respondrai qu'honneste fut Cynthie,
L'amie de Properce en vers ingenieus,
    Et si [1] ne laissa pas de faire amour diverse:
Endure donq, Ami, car tu ne vaus pas mieux
Que Catulle valut, que Tibulle et Properce.

---

1. Pourtant.

L'an se rajeunissoit en sa verte jouvence,
    Quand je m'épris de vous, ma Sinope cruelle;
Seize ans estoyent la fleur de vostre âge nouvelle,
Et vostre teint sentoit encore son enfance.

    Vous aviez d'une infante encor la contenance,
La parolle, et les pas; vostre bouche estoit belle,
Vostre front et voz mains dignes d'une Immortelle,
Et vostre œil, qui me fait trespasser quand j'y pense.

    Amour, qui ce jour là si grandes beautez vit,
Dans un marbre, en mon cœur d'un trait les escrivit;
Et si pour le jourd'huy voz beautez si parfaites

    Ne sont comme autresfois, je n'en suis moins ravy,
Car je n'ay pas égard à cela que vous estes,
Mais au dous souvenir des beautez que je vy.

SAINT-JOHN PERSE

1887-1975

NEIGES

A Françoise-Renée Saint-Léger Léger.

I

Et puis vinrent les neiges, les premières neiges de l'absence, sur les grands lés tissés du songe et du réel ; et toute peine remise aux hommes de mémoire, il y eut une fraîcheur de linges à nos tempes. Et ce fut au matin, sous le sel gris de l'aube, un peu avant la sixième heure, comme en un havre de fortune, un lieu de grâce et de merci où licencier l'essaim des grandes odes du silence.

Et toute la nuit, à notre insu, sous ce haut fait de plume, portant très haut vestige et charge d'âmes, les hautes villes de pierre ponce forées d'insectes lumineux n'avaient cessé de croître et d'exceller, dans l'oubli de leur poids. Et ceux-là seuls en surent quelque chose, dont la mémoire est incertaine et le récit est aberrant. La part que prit l'esprit à ces choses insignes, nous l'ignorons.

Nul n'a surpris, nul n'a connu, au plus haut front de pierre, le premier affleurement de cette heure soyeuse, le premier attouchement de cette chose fragile et très futile, comme un frôlement de cils. Sur les revêtements de bronze et sur les élancements d'acier chromé, sur les moellons de sourde porcelaine et sur les tuiles de gros verre, sur la fusée de marbre noir et sur l'éperon de métal blanc, nul n'a surpris, nul n'a terni

cette buée d'un souffle à sa naissance, comme la première transe d'une lame mise à nu... Il neigeait, et voici, nous en dirons merveilles : l'aube muette dans sa plume, comme une grande chouette fabuleuse en proie aux souffles de l'esprit, enflait son corps de dahlia blanc. Et de tous les côtés il nous était prodige et fête. Et le salut soit sur la face des terrasses, où l'Architecte, l'autre été, nous a montré des œufs d'engoulevent !

II

Je sais que des vaisseaux en peine dans tout ce naissain pâle poussent leur meuglement de bêtes sourdes contre la cécité des hommes et des dieux ; et toute la misère du monde appelle le pilote au large des estuaires. Je sais qu'aux chutes des grands fleuves se nouent d'étranges alliances, entre le ciel et l'eau : de blanches noces de noctuelles, de blanches fêtes de phryganes. Et sur les vastes gares enfumées d'aube comme des palmeraies sous verre, la nuit laiteuse engendre une fête du gui.

Et il y a aussi cette sirène des usines, un peu avant la sixième heure et la relève du matin, dans ce pays, là-haut, de très grands lacs, où les chantiers illuminés toute la nuit tendent sur l'espalier du ciel une haute treille sidérale : mille lampes choyées des choses grèges de la neige... De grandes nacres en croissance, de grandes nacres sans défaut méditent-elles leur réponse au plus profond des eaux ? — ô toutes choses à renaître, ô vous toute réponse ! Et la vision enfin sans faille et sans défaut !...

Il neige sur les dieux de fonte et sur les aciéries cinglées de brèves liturgies ; sur le mâchefer et sur l'ordure et sur l'herbage des remblais : il neige sur la fièvre et sur l'outil des hommes

— neige plus fine — qu'au désert la graine de coriandre, neige
plus fraîche qu'en avril le premier lait des jeunes bêtes... Il neige
par là-bas vers l'Ouest, sur les silos et sur les ranchs et sur les
vastes plaines sans histoire enjambées de pylônes ; sur les tracés
de villes à naître et sur la cendre morte des camps levés ;

   sur les hautes terres non rompues, envenimées d'acides, et
sur les hordes d'abiès noirs empêtrés d'aigles barbelés, comme
des trophées de guerre... Que disiez-vous, trappeur, de vos deux
mains congédiées ? Et sur la hache du pionnier quelle inquiétante
douceur a cette nuit posé la joue ?... Il neige, hors chrétienté, sur
les plus jeunes ronces et sur les bêtes les plus neuves. Épouse du
monde ma présence !... Et quelque part au monde où le silence
éclaire un songe de mélèze, la tristesse soulève son masque de
servante.

III

   Ce n'était pas assez que tant de mers, ce n'était pas assez
que tant de terres eussent dispersé la course de nos ans. Sur la
rive nouvelle où nous halons, charge croissante, le filet de nos
routes, encore fallait-il tout ce plain-chant des neiges pour nous
ravir la trace de nos pas... Par les chemins de la plus vaste terre
étendrez-vous le sens et la mesure de nos ans, neiges prodigues
de l'absence, neiges cruelles au cœur des femmes où s'épuise
l'attente ?

   Et Celle à qui je pense entre toutes les femmes de ma race,
du fond de son grand âge lève à son Dieu sa face de douceur. Et
c'est un pur lignage qui tient sa grâce en moi. «Qu'on nous
laisse tous deux à ce langage sans paroles dont vous avez
l'usage, ô vous toute présence, ô vous toute patience ! Et comme
un grand *Ave* de grâce sur nos pas chante tout bas le chant très
pur de notre race. Et il y a un si long temps que veille en moi
cette affre de douceur...

Dame de haut parage fut votre âme muette à l'ombre de vos croix ; mais chair de pauvre femme, en son grand âge, fut votre cœur vivant de femme en toutes femmes suppliciée... Au cœur du beau pays captif où nous brûlerons l'épine, c'est bien grande pitié des femmes de tout âge à qui le bras des hommes fit défaut. Et qui donc vous mènera, dans ce plus grand veuvage, à vos Églises souterraines où la lampe est frugale, et l'abeille, divine ?

...Et tout ce temps de mon silence en terre lointaine, aux roses pâles des ronciers j'ai vu pâlir l'usure de vos yeux. Et vous seule aviez grâce de ce mutisme au cœur de l'homme comme une pierre noire... Car nos années sont terres de mouvance dont nul ne tient le fief, mais comme un grand *Ave* de grâce sur nos pas nous suit au loin le chant de pur lignage ; et il y a un si long temps que veille en nous cette affre de douceur...

Neigeait-il, cette nuit, de ce côté du monde où vous joignez les mains ?... Ici, c'est bien grand bruit de chaînes par les rues, où vont courant les hommes à leur ombre. Et l'on ne savait pas qu'il y eût encore au monde tant de chaînes, pour équiper les roues en fuite vers le jour. Et c'est aussi grand bruit de pelles à nos portes, ô vigiles ! Les nègres de voirie vont sur les aphtes de la terre comme gens de gabelle. Une lampe

survit au cancer de la nuit. Et un oiseau de cendre rose, qui fut de braise tout l'été, illumine soudain les cryptes de l'hiver, comme l'Oiseau du Phase aux Livres d'heures de l'An Mille... Épouse du monde ma présence, épouse du monde mon attente ! Que nous ravisse encore la frâche haleine de mensonge !... Et la tristesse des hommes est dans les hommes, mais cette force aussi qui n'a de nom, et cette grâce, par instants, dont il faut bien qu'ils aient souri.

IV

Seul à faire le compte, du haut de cette chambre d'angle qu'environne un Océan de neiges. — Hôte précaire de l'instant, homme sans preuve ni témoin, détacherai-je mon lit bas comme une pirogue de sa crique ?... Ceux qui campent chaque jour plus loin du lieu de leur naissance, ceux qui tirent chaque jour leur barque sur d'autres rives, savent mieux chaque jour le cours des choses illisibles ; et remontant les fleuves vers leur source, entre les vertes apparences, ils sont gagnés soudain de cet éclat sévère où toute langue perd ses armes.

Ainsi l'homme mi-nu sur l'Océan des neiges, rompant soudain l'immense libation, poursuit un singulier dessein où les mots n'ont plus prise. Épouse du monde ma présence, épouse du monde ma prudence !... Et du côté des eaux premières me retournant avec le jour, comme le voyageur, à la néoménie, dont la conduite est incertaine et la démarche est aberrante, voici que j'ai dessein d'errer parmi les plus vieilles couches du langage, parmi les plus hautes tranches phonétiques : jusqu'à des langues très lointaines, jusqu'à des langues très entières et très parcimonieuses,

comme ces langues dravidiennes qui n'eurent pas de mots distincts pour « hier » et pour « demain ». Venez et nous suivez, qui n'avons mots à dire : nous remontons ce pur délice sans graphie où court l'antique phrase humaine ; nous nous mouvons parmi de claires élisions, des résidus d'anciens préfixes ayant perdu leur initiale, et devançant les beaux travaux de linguistique, nous nous frayons nos voies nouvelles jusqu'à ces locutions inouïes, où l'aspiration recule au-delà des voyelles et la modulation du souffle se propage, au gré de telles labiales mi-sonores, en quête de pures finales vocaliques.

... Et ce fut au matin, sous le plus pur vocable, un beau pays sans haine ni lésine, un lieu de grâce et de merci pour la montée des sûrs présages de l'esprit ; et comme un grand *Ave* de grâce sur nos pas, la grande roseraie blanche de toutes neiges à la ronde... Fraîcheur d'ombelles, de corymbes, fraîcheur d'arille sous la fève, ha ! tant d'azyme encore aux lèvres de l'errant !...

Quelle flore nouvelle, en lieu plus libre, nous absout de la fleur
et du fruit ? Quelle navette d'os aux mains des femmes de grand
âge, quelle amande d'ivoire aux mains de femmes de jeune âge

nous tissera linge plus frais pour la brûlure des vivants ?...
Épouse du monde notre patience, épouse du monde notre attente !... Ah ! tout l'hièble du songe à même notre visage ! Et
nous ravisse encore, ô monde ! ta fraîche haleine de mensonge !... Là où les fleuves encore sont guéables, là où les neiges
encore sont guéables, nous passerons ce soir une âme non
guéable... Et au-delà sont les grands lés du songe, et tout ce bien
fongible où l'être engage sa fortune...

Désormais cette page où plus rien ne s'inscrit.

Exil

POÈME À L'ÉTRANGÈRE

« Alien Registration Act ».

I

Les sables ni les chaumes n'enchanteront le pas des siècles
à venir, où fut la rue pour vous pavée d'une pierre sans mémoire
— ô pierre inexorable et verte plus que n'est
    le sang vert des Castilles à votre tempe d'Étrangère !

Une éternité de beau temps pèse aux membranes closes du
silence, et la maison de bois qui bouge, à fond d'abîme, sur ses
ancres, mûrit un fruit de lampes à midi
    pour de plus tièdes couvaisons de souffrances nouvelles.

Mais les tramways à bout d'usure qui s'en furent un soir au
tournant de la rue, qui s'en furent sur rails au pays des Atlantes,
par les chaussées et par les rampes
    et les ronds-points d'Observatoires envahis de sargasses,

par les quartiers d'eaux vives et de Zoos hantés des gens de
cirques, par les quartiers de Nègres et d'Asiates aux migrations
d'alevins, et par les beaux solstices verts des places rondes
comme des atolls,
    (là où campait un soir la cavalerie des Fédéraux, ô mille
têtes d'hippocampes !)

chantant l'hier, chantant l'ailleurs, chantaient le mal à sa
naissance, et, sur deux notes d'Oiseau-chat, l'Été boisé des
jeunes Capitales infestées de cigales... Or voici bien, à votre
porte, laissés pour compte à l'Étrangère,

ces deux rails, ces deux rails — d'où venus? — qui n'ont
pas dit leur dernier mot.

« Rue Gît-le-Cœur... Rue Gît-le-Cœur... » chante tout bas
l'Alienne sous ses lampes, et ce sont là méprises de sa langue
d'Étrangère.

II

« ... Non point des larmes — l'aviez-vous cru? — mais ce
mal de la vue qui nous vient, à la longue, d'une trop grande
fixité du glaive sur toutes braises de ce monde,

« (ô sabre de Strogoff à hauteur de nos cils!)

« Peut-être aussi l'épine, sous la chair, d'une plus jeune
ronce au cœur des femmes de ma race; et j'en conviens aussi,
l'abus de ces trop longs cigares de veuve jusqu'à l'aube, parmi le
peuple de mes lampes,

« dans tout ce bruit de grandes eaux que fait la nuit du
Nouveau Monde.

« ... Vous qui chantez — c'est votre chant — vous qui chantez tous bannissements au monde, ne me chanterez-vous pas un
chant du soir à la mesure de mon mal? un chant de grâce pour
mes lampes,

« un chant de grâce pour l'attente, et pour l'aube plus noire
au cœur des althaeas?

« De la violence sur la terre il nous est fait si large mesure...
O vous, homme de France, ne ferez-vous pas encore que j'en-
tende, sous l'humaine saison, parmi les cris de martinets et

toutes cloches ursulines, monter dans l'or des pailles et dans la poudre de vos Rois

« un rire de lavandières aux ruelles de pierre ?

« ... Ne dites pas qu'un oiseau chante, et qu'il est, sur mon toit, vêtu de très beau rouge comme Prince d'Église. Ne dites pas — vous l'avez vu — que l'écureuil est sur la véranda ; et l'enfant-aux-journaux, les Sœurs quêteuses et le laitier. Ne dites pas qu'à fond de ciel

« un couple d'aigles, depuis hier, tient la Ville sous le charme de ses grandes manières.

« Car tout cela est-il bien vrai, qui n'a d'histoire ni de sens, qui n'a de trêve ni mesure ?... Oui tout cela qui n'est pas clair, et ne m'est rien, et pèse moins qu'à mes mains nues de femme une clé d'Europe teinte de sang... Ah ! tout cela est-il bien vrai ?... (et qu'est-ce encore, sur mon seuil,

« que cet oiseau vert-bronze, d'allure peu catholique, qu'ils appellent Starling ?) »

« Rue Gît-le-Cœur... Rue Gît-le-Cœur... » chantent tout bas les cloches en exil, et ce sont là méprises de leur langue d'étrangères.

III

Dieux proches, dieux sanglants, faces peintes et closes ! Sous l'orangerie des lampes à midi mûrit l'abîme le plus vaste. Et cependant que le flot monte à vos persiennes closes, l'Été déjà sur son déclin, virant la chaîne de ses ancres,

vire aux grandes roses d'équinoxe comme aux verrières des Absides.

Et c'est déjà le troisième an que le fruit du mûrier fait aux chaussées de votre rue de si belles taches de vin mûr, comme on en voit au cœur des althaeas, comme on en vit aux seins des filles d'Eloa. Et c'est déjà le troisième an qu'à votre porte close,

comme un nid de Sibylles, l'abîme enfante ses merveilles : lucioles !

Dans l'Été vert comme une impasse, dans l'Été vert de si beau vert, quelle aube tierce, ivre créance, ouvre son aile de locuste ? Bientôt les hautes brises de Septembre tiendront conseil aux portes de la ville, sur les savanes d'aviation, et dans un grand avènement d'eaux libres

la Ville encore au fleuve versera toute sa récolte de cigales mortes d'un Été.

…Et toujours il y a ce grand éclat du verre, et tout ce haut suspens. Et toujours il y a ce bruit de grandes eaux. Et parfois c'est Dimanche, et par les tuyauteries des chambres, montant des fosses atlantides, avec ce goût de l'incréé comme une haleine d'outre-monde,

c'est un parfum d'abîme et de néant parmi les moisissures de la terre…

Poème à l'Étrangère ! Poème à l'Émigrée !… Chaussée de crêpe ou d'amarante entre vos hautes malles inécloses ! O grande par le cœur et par le cri de votre race !… L'Europe saigne à vos flancs comme la Vierge du Toril. Vos souliers de bois d'or furent aux vitrines de l'Europe

et les sept glaives de vermeil de Votre Dame des Angoisses.

Les cavaleries encore sont aux églises de vos pères, humant l'astre de bronze aux grilles des autels. Et les hautes lances de Breda montent la garde au pas des portes de famille. Mais plus d'un cœur bien né s'en fut à la canaille. Et il y avait aussi bien à redire à cette enseigne du bonheur, sur vos golfes trop bleus,

comme le palmier d'or au fond des boîtes à cigares.

Dieux proches, dieux fréquents ! quelle rose de fer nous forgerez-vous demain ? L'Oiseau-moqueur est sur nos pas ! Et cette histoire n'est pas nouvelle que le Vieux Monde essaime à tous les siècles, comme un rouge pollen… Sur le tambour voilé des lampes à midi, nous mènerons encore plus d'un deuil, chantant l'hier, chantant l'ailleurs, chantant le mal à sa naissance

et la splendeur de vivre qui s'exile à perte d'hommes cette année.

Mais ce soir de grand âge et de grande patience, dans l'Été lourd d'opiats et d'obscures laitances, pour délivrer à fond d'abîme le peuple de vos lampes, ayant, homme très seul, pris par ce haut quartier de Fondations d'aveugles, de Réservoirs mis au linceul et de vallons en cage pour les morts, longeant les grilles et les lawns et tous ces beaux jardins à l'italienne

dont les maîtres un soir s'en furent épouvantés d'un parfum de sépulcre,

je m'en vais, ô mémoire! à mon pas d'homme libre, sans horde ni tribu, parmi le chant des sabliers, et, le front nu, lauré d'abeilles de phosphore, au bas du ciel très vaste d'acier vert comme en un fond de mer, sifflant mon peuple de Sibylles, sifflant mon peuple d'incrédules, je flatte encore en songe, de la main, parmi tant d'êtres invisibles,

ma chienne d'Europe qui fut blanche et, plus que moi, poète.

« Rue Gît-le-Cœur... Rue Gît-le-Cœur... » chante tout bas l'Ange à Tobie, et ce sont là méprises de sa lange d'Étranger.

Exil

Mais ce soir de grand âge et de grande patience, dans l'Été
lourd d'opiats et d'obscures laitances, pour délivrer à fond
d'abîme le peuple de vos lampes, ayant, homme très seul, pris
par ce haut quartier de Fondations d'aveugles, de Réservoirs mis
au linceul et de vellons en cage pour les morts, longeant les
grilles et les fawns et tous ces beaux jardins à l'italienne
dont les maîtres un soir s'en furent épouvantés d'un parfum
de sépulcre,

Je m'en vais, ô mémoire! à mon pas d'homme libre, sans
horde ni tribu, parmi le chant des sabliers, et, le front nu, lauré
d'abeilles de phosphore, au bas du ciel très vaste d'acier vert
comme en un fond de mer, sifflant mon peuple de Sibylles,
sifflant mon peuple d'incrédules, je flaire encore en songe, de la
main, parmi tant d'ôtres invisibles,

ma chienne d'Europe qui fut blanche et, plus que moi, poète

... Rue Gît-le-Cœur... Rue Gît-le-Cœur... Chante tout bas
l'Anne à Tobie et ce soir la moquerie de sa lange d'Étranger.

F.G.

ANDRÉ SALMON

1881-1969

RONDE

L'amour a pleuré sur ma main
(J'aime la rose et le jasmin)
Il a pleuré, ses pleurs me brûlent.
(J'aime la rose et le jasmin,
La jonquille et la renoncule).

Il a pleuré, ses pleurs me brûlent,
Que va-t-il m'ordonner demain ?
(J'aime la rose et le jasmin).

Je l'avais chassé le matin,
Il m'attendait au crépuscule !
(L'amour a pleuré sur ma main,
Il a pleuré, ses pleurs me brûlent).

Créances
(1910)

MAURICE SCÈVE

1501-1560

DÉLIE

Si le désir, image de la chose
Que plus on aime, est du cœur le miroir,
Qui toujours fait par mémoire apparoir
Celle où l'esprit de ma vie repose :
A quelle fin mon vain vouloir propose
De m'éloigner de ce qui plus me suit ?
    Plus fuit le Cerf, et plus on le poursuit
Pour mieux le rendre aux rets de servitude ;
Plus je m'absente, et plus le mal s'ensuit
De ce doux bien, Dieu de l'amaritude.

Tant je l'aimai qu'en elle encor je vis,
Et tant la vis que, malgré moi, je l'aime.
Le sens et l'âme y furent tant ravis
Que par l'œil faut que le cœur la désaime.
    Est-il possible en ce degré suprême
Que fermeté son outrepas révoque?
    Tant fut la flamme en nous deux réciproque
Que mon feu luit quand le sien clair m'appert;
Mourant le sien, le mien tôt se suffoque,
Et ainsi elle en se perdant me perd.

L'ardent désir du haut bien désiré,
Qui aspirait à celle [1] fin heureuse,
A de l'ardeur si grand feu attiré,
Que le corps vif est jà poussière ombreuse ;
Et de ma vie, en ce point malheureuse,
Pour vouloir toute à son bien condescendre,
Et de mon être, ainsi réduit en cendre,
Ne m'est resté que ces deux signes-ci :
   L'œil larmoyant pour piteuse te rendre,
La bouche ouverte à demander merci.

---

1. Cette.

Plaisant repos du séjour solitaire,
De cures vide et de souci délivre,
Où l'air paisible est féal secrétaire
Des hauts pensers que sa douceur me livre
Pour mieux jouir de ce bienheureux vivre,
Dont les Dieux seuls ont la fruition.
  Ce lieu sans peur et sans sédition
S'écarte à soi et son bien inventif.
Aussi j'y vis, loin de l'Ambition
Et du sot Peuple au vil gain intentif.

Voulant je veux que mon si haut vouloir
De son bas vol s'étende à la volée,
Où ce mien veuil ne peut en rien valoir,
Ni la pensée, ainsi comme avolée,
Craignant qu'enfin Fortune, l'évolée,
Avec Amour, pareillement volage,
Veuillent voler le sens et le fol âge,
Qui, s'envolant avec ma destinée,
Ne soustrairont l'espoir qui me soulage
Ma volonté saintement obstinée.

JEAN DE SPONDE

1557-1595

Mais si [1] faut-il mourir, et la vie orgueilleuse,
Qui brave de la mort, sentira ses fureurs,
Les Soleils haleront ces journalieres fleurs,
Et le temps crevera ceste ampoulle venteuse,
  Ce beau flambeau, qui lance une flamme fumeuse,
Sur le verd de la cire esteindra ses ardeurs,
L'huyle de ce tableau ternira ses couleurs
Et ces flots se rompront à la rive escumeuse.
    J'ay veu ces clairs esclairs passer devant mes yeux,
Et le tonnerre encor qui gronde dans les Cieux,
Où d'une, ou d'autre part, esclattera l'orage.
    J'ay veu fondre la neige, et ses torrents tarir,
Ces lyons rugissans je les ay veus sans rage,
Vivez, hommes, vivez, mais si faut-il mourir.

---

1. Pourtant, cependant.

Tout s'enfle contre moy, tout m'assaut, tout me tente,
Et le Monde, et la chair, et l'Ange revolté,
Dont l'onde, dont l'effort, dont le charme inventé
Et m'abysme, Seigneur, et m'esbranle, et m'enchante,
     Quelle nef, quel appuy, quelle oreille dormante,
Sans perils, sans tomber, et sans estre enchanté,
Me donras-tu? Ton temple où vit ta Saincteté,
Ton invicible main, et ta voix si constante.
     Et quoy? mon Dieu, je sens combattre maintefois
Encor avec ton Temple pourtant, ta main, ta voix sera
La nef, l'appuy, l'oreille, où ce charme perdra,
Où mourra cest effort, où se rompra ceste onde.

PAUL-JEAN TOULET

1867-1920

Dans le lit vaste et dévasté
        J'ouvre les yeux près d'elle ;
Je l'effleure : un songe infidèle
        L'embrasse à mon côté.

Une lueur tranchante et mince
        Échancre mon plafond.
Très loin, sur le pavé profond,
        J'entends un seau qui grince…

Dans le silencieux automne
    D'un jour mol et soyeux,
Je t'écoute en fermant les yeux,
    Voisine monotone.

Ces gammes de tes doigts hardis,
    C'était déjà des gammes
Quand n'étaient pas encor des dames
    Mes cousines, jadis;

Et qu'aux toits noirs de la Rafette,
    Où grince un fer changeant,
Les abeilles d'or et d'argent
    Mettaient l'aurore en fête.

Le Garno.

L'hiver bat la vitre et le toit.
　　Il fait bon dans la chambre,
A part cette sale odeur d'ambre
　　Et de plaisir. Mais toi,

Les roses naissent sur ta face
　　Quand tu ris près du feu...
Ce soir tu me diras adieu,
　　Ombre, que l'ombre efface.

L'immortelle, et l'œillet de mer
        Qui pousse dans le sable,
La pervenche trop périssable,
        Ou ce fenouil amer

Qui craquait sous la dent des chèvres
        Ne vous en souvient-il,
Ni de la brise au sel subtil
        Qui nous brûlait aux lèvres ?

Ainsi, ce chemin de nuage,
        Vous ne le prendrez point,
D'où j'ai vu me sourire au loin
        Votre brillant mirage ?

Le soir d'or sur les étangs bleus
        D'une étrange savane,
Où pleut la fleur de frangipane,
        N'éblouira vos yeux ;

Ni les feux de la luciole
        Dans cette épaisse nuit
Que tout à coup perce l'ennui
        D'un tigre qui miaule.

Me rendras-tu, rivage basque,
　　Avec l'heur envolé
Et tes danses dans l'air salé,
　　Deux yeux, clairs sous le masque.

En Arles.

Dans Arles, où sont les Aliscans,
Quand l'ombre est rouge, sous les roses,
    Et clair le temps,

Prends garde à la douceur des choses.
Lorsque tu sens battre sans cause
    Ton cœur trop lourd;

Et que se taisent les colombes:
Parle tout bas, si c'est d'amour,
    Au bord des tombes.

Le Tremble est blanc.

Le temps irrévocable a fui. L'heure s'achève.
Mais toi, quand tu reviens, et traverses mon rêve,
Tes bras sont plus frais que le jour qui se lève,
       Tes yeux plus clairs.

A travers le passé ma mémoire t'embrasse.
Te voici. Tu descends en courant la terrasse
Odorante, et tes faibles pas s'embarrassent
       Parmi les fleurs.

Par un après-midi de l'automne, au mirage
De ce tremble inconstant que varient les nuages,
Ah! verrai-je encore se farder ton visage
       D'ombre et de soleil?

Sous le soir jaune et vert nous ne reviendrons pas
Le long du chemin creux qui penche vers Bilhère,
Faustine. Ni, du bois embelli de bruyère,
L'argile n'a gardé la forme de tes pas.

PONTUS DE TYARD

1521-1605

ÉLÉGIE POUR UNE DAME
ENAMOURÉE D'UNE AUTRE DAME

J'avois tousjours pensé que d'amour et d'honneur,
Les deux seulles ardeurs qui me bruslent le cueur,
Se pouvoit allumer une si belle flame
Que plus belle clarté ne luisoit dedans l'Ame :
Mais je ne me pouvois en l'Esprit imprimer
Comme ensemble on devoit ces deux feux allumer :
Car combien que [1] d'Amour beauté soit la matière,
Et qu'en l'honneur entier la beauté soit entiere,
Il ne me sembloit point qu'une mesme beauté
Deust servir à l'Amour et à l'honnesteté.
Je disois : ma beauté d'honneur est en moy-mesme,
Mais non pas la beauté, laquelle il faut que j'aime :
Car la seule beauté de moy-mesme estimer
Ne seroit seulement que mon honneur aimer,
Et il faut que l'Amante hors de soy face queste
De la beauté, qu'Amour luy donne pous [2] conqueste :
Donq' l'ardeur de l'honneur en moy seulle aura lieu ?
Donques doy-je fuir l'ardeur de l'autre Dieu ?
      Helas ! beauté d'Amour, te choisiray je aux hommes !
Ha, non : je cognois trop le siecle auquel nous sommes.
L'homme aime la beauté et de l'honneur se rit,
Plus la beauté luy plait, plustost l'honneur perit.

---

1. Bien que.
2. Pour.

Ainsi du seul honneur cherement curieuse
Libre je desdaignois toute flame amoureuse,
Quand de ma liberté Amour trop offensé
Un aguet me tendit subtilement pensé.

   Il t'enrichit l'Esprit : il te sucre la bouche
Et le parler disert : En tes yeux il se couche,
En tes cheveux il lace un nœud non jamais veu,
Dont il m'estreint à toy : il fait ardoir [1] un feu —
Helas qui me croira ! — de si nouvelle flame
Que femme il m'enamoure, helas ! d'une autre femme.

   Jamais plus mollement Amour n'avoit glissé
Dedans un autre cueur : car l'honneur non blessé
Retenoit sa beauté nullement entamée,
Et l'Amant jouissoit de la beauté aimée
En un mesme suject, ô quel contentement !
Si — legere — il t'eust pleu n'aimer legerement :
Mais le cruel Amour m'ayant au vif blessee
S'est tout poussé dans moy, et vuide il t'a laissee
Autant vuide d'Amour, vuide d'affection,
Comme il remplit mon cueur de triste passion
Et de juste despit, qu'il faut que je te prie,
Ingrate, et que de moy ta liberté se rie.
Où est ta foy promise et tes sermens prestez ?
Où sont de tes discours les beaux mots inventez ?
Comme d'une Python feinte et persuasive
Qui m'as sceu enchaîner par l'oreille, captive !

   Helas ! que j'ay en vain espanché mes discours !
Que j'ay fuy en vain tous les autres Amours !
Qu'en vain seule je t'ay — dedaigneuse — choisie
Pour l'unique plaisir de ma plus douce vie !
Qu'en vain j'avois pensé que le temps advenir
Nous devroit pour miracle en longs siecles tenir :
Et que d'un seul exemple, en la françoise histoire,
Nostre Amour serviroit d'eternelle memoire,
Pour prouver que l'Amour de femme à femme épris
Sur les masles Amours emporteroit le pris.

---

1. Brûler.

Un Damon à Pythie, un Aenée à Achate,
Un Hercule à Nestor, Cherephon à Socrate,
Un Hoppie à Dimante ont seurement monstré,
Que l'Amour d'homme à homme entier s'est rencontré :
De l'Amour d'homme à femme est la preuve si ample
Qu'il ne m'est jà besoin d'en alleguer exemple :
Mais d'une femme à femme, il ne se trouve encore
Souz l'empire d'Amour un si riche thresor,
Et ne se peut trouver, ô trop et trop legere,
Puis qu'à ma foy la tienne est faite mensongere.
Car jamais purité ne fust plus grande au Ciel,
Plus grande ardeur au feu, plus grand douceur au miel,
Plus grand bonté ne fust au reste de nature
Qu'en mon cueur, où l'Amour a pris sa nourriture.
Mais plus qu'un Roc marin ton cueur a de durté,
Plus qu'un Scythe barbare il a de cruauté :
Et l'Ourse Caliston ne voit point tant de glace
Que tu en as au seing : Ny la muable face
Du Nocturne Morphé n'a de formes autant
Qu'a de pensers divers ton esprit inconstant.
　　　　Helas ! que le despit loing de moye me transporte !
Ouvre à l'Amour, ingrate ! Ouvre à l'Amour la porte :
Souffre que le doux trait, qui nos cueurs a percé,
R'entame de nouveau le tien trop peu blessé,
Recerche en tes discours l'affection passée :
Resserre le doux nœud dont estoit enlacée
L'affection commune et à toy et à moy,
Et rejoignons ces mains qui jurerent la foy :
La foy dans mon esprit tellement asseurée,
Qu'elle ne sera point par la mort parjurée.
Mais si nouvel Amour t'embrase une autre ardeur,
Je supply, Contr'Amour, Contr'Amour Dieu vengeur !
Qu'avant que la douleur dedans mon cueur enclose
Me puisse transformer, et me faire autre chose
Que ce qu'ores [1] je suis, soit que ma triste voix
Reste seule de moy errante par ce bois,

---

1. Aujourd'hui, maintenant, alors.

Ou soit qu'en peu de temps ma larmoyante peine
Me distille en un fleuve, ou m'escoule en fonteine,
Et pendant que je dy et aux Cerfs et aux Dains,
Seule en ce bois touffu, ingrate, tes dedains,
Tu puisses, d'un suject indigne consumée,
Aimer languissamment, et n'estre point aimée !

PAUL VALÉRY

1871-1945

LES GRENADES

Dures grenades entr'ouvertes
Cédant à l'excès de vos grains,
Je crois voir des fronts souverains
Éclatés de leurs découvertes!

Si les soleils par vous subis,
O grenades entre-bâillées,
Vous ont fait d'orgueil travaillées
Craquer les cloisons de rubis,

Et que si l'or sec de l'écorce
A la demande d'une force
Crève en gemmes rouges de jus,

Cette lumineuse rupture
Fait rêver une âme que j'eus
De sa secrète architecture.

Charmes

LE CIMETIÈRE MARIN

Μή, φίλα Ψυχά, βίον ἀθάνατον σπεῦδε,
ταν δ'ἔμπρακτον ἄντλει μαχανάν.

Pindare, *Pythiques,* III.

Ce toit tranquille, où marchent des colombes,
Entre les pins palpite, entre les tombes ;
Midi le juste y compose de feux
La mer, la mer, toujours recommencée !
O récompense après une pensée
Qu'un long regard sur le calme des dieux !

Quel pur travail de fins éclairs consume
Maint diamant d'imperceptible écume,
Et quelle paix semble se concevoir !
Quand sur l'abîme un soleil se repose,
Ouvrages purs d'une éternelle cause,
Le Temps scintille et le Songe est savoir.

Stable trésor, temple simple à Minerve,
Masse de calme, et visible réserve,
Eau sourcilleuse, Œil qui gardes en toi
Tant de sommeil sous un voile de flamme,
O mon silence !... Édifice dans l'âme,
Mais comble d'or aux mille tuiles, Toit !

Temple du Temps, qu'un seul soupir résume,
A ce point pur je monte et m'accoutume,
Tout entouré de mon regard marin;
Et comme aux dieux mon offrande suprême,
La scintillation sereine sème
Sur l'altitude un dédain souverain.

Comme le fruit se fond en jouissance,
Comme en délice il change son absence
Dans une bouche où sa forme se meurt,
Je hume ici ma future fumée,
Et le ciel chante à l'âme consumée
Le changement des rives en rumeur.

Beau ciel, vrai ciel, regarde-moi qui change!
Après tant d'orgueil, après tant d'étrange
Oisiveté, mais pleine de pouvoir,
Je m'abandonne à ce brillant espace,
Sur les maisons des morts mon ombre passe
Qui m'apprivoise à son frêle mouvoir.

L'âme exposée aux torches du solstice,
Je te soutiens, admirable justice
De la lumière aux armes sans pitié!
Je te rends pure à ta place première:
Regarde-toi!... Mais rendre la lumière
Suppose d'ombre une morne moitié.

O pour moi seul, à moi seul, en moi-même,
Auprès d'un cœur, aux sources du poème,
Entre le vide et l'événement pur,
J'attends l'écho de ma grandeur interne,
Amère, sombre et sonore citerne,
Sonnant dans l'âme un creux toujours futur!

Sais-tu, fausse captive des feuillages,
Golfe mangeur de ces maigres grillages,
Sur mes yeux clos, secrets éblouissants,
Quel corps me traîne à sa fin paresseuse,
Quel front l'attire à cette terre osseuse ?
Une étincelle y pense à mes absents.

Fermé, sacré, plein d'un feu sans matière,
Fragment terrestre offert à la lumière,
Ce lieu me plaît, dominé de flambeaux,
Composé d'or, de pierre et d'arbres sombres,
Où tant de marbre est tremblant sur tant d'ombres ;
La mer fidèle y dort sur mes tombeaux !

Chienne splendide, écarte l'idolâtre !
Quand solitaire au sourire de pâtre,
Je pais longtemps, moutons mystérieux,
Le blanc troupeau de mes tranquilles tombes,
Éloignes-en les prudentes colombes,
Les songes vains, les anges curieux !

Ici venu, l'avenir est paresse.
L'insecte net gratte la sécheresse ;
Tout est brûlé, défait, reçu dans l'air
A je ne sais quelle sévère essence...
La vie est vaste, étant ivre d'absence,
Et l'amertume est douce, et l'esprit clair.

Les morts cachés sont bien dans cette terre
Qui les réchauffe et sèche leur mystère.
Midi là-haut, Midi sans mouvement
En soi se pense et convient à soi-même...
Tête complète et parfait diadème,
Je suis en toi le secret changement.

Tu n'as que moi pour contenir tes craintes!
Mes repentirs, mes doutes, mes contraintes
Sont le défaut de ton grand diamant...
Mais dans leur nuit toute lourde de marbres,
Un peuple vague aux racines des arbres
A pris déjà ton parti lentement.

Ils ont fondu dans une absence épaisse,
L'argile rouge a bu la blanche espèce,
Le don de vivre a passé dans les fleurs!
Où sont des morts les phrases familières,
L'art personnel, les âmes singulières?
La larve file où se formaient des pleurs.

Les cris aigus des filles chatouillées,
Les yeux, les dents, les paupières mouillées,
Le sein charmant qui joue avec le feu,
Le sang qui brille aux lèvres qui se rendent,
Les derniers dons, les doigts qui les défendent,
Tout va sous terre et rentre dans le jeu!

Et vous, grande âme, espérez-vous un songe
Qui n'aura plus ces couleurs de mensonge
Qu'aux yeux de chair l'onde et l'or font ici?
Chanterez-vous quand serez vaporeuse?
Allez! Tout fuit! Ma présence est poreuse,
La sainte impatience meurt aussi!

Maigre immortalité noire et dorée,
Consolatrice affreusement laurée,
Qui de la mort fais un sein maternel,
Le beau mensonge et la pieuse ruse!
Qui ne connaît, et qui ne les refuse,
Ce crâne vide et ce rire éternel!

Pères profonds, têtes inhabitées,
Qui sous le poids de tant de pelletées,
Êtes la terre et confondez nos pas,
Le vrai rongeur, le ver irréfutable
N'est point pour vous qui dormez sous la table,
Il vit de vie, il ne me quitte pas !

Amour, peut-être, ou de moi-même haine ?
Sa dent secrète est de moi si prochaine
Que tous les noms lui peuvent convenir !
Qu'importe ! Il voit, il veut, il songe, il touche !
Ma chair lui plaît, et jusque sur ma couche,
A ce vivant je vis d'appartenir !

Zénon ! Cruel Zénon ! Zénon d'Elée !
M'as-tu percé de cette flèche ailée
Qui vibre, vole, et qui ne vole pas !
Le son m'enfante et la flèche me tue !
Ah ! le soleil... Quelle ombre de tortue
Pour l'âme, Achille immobile à grands pas !

Non, non !... Debout ! Dans l'ère successive !
Brisez, mon corps, cette forme pensive !
Buvez, mon sein, la naissance du vent !
Une fraîcheur, de la mer exhalée,
Me rend mon âme... O puissance salée !
Courons à l'onde en rejaillir vivant !

Oui ! Grande mer de délires douée,
Peau de panthère et chlamyde trouée
De mille et mille idoles du soleil,
Hydre absolue, ivre de ta chair bleue,
Qui te remords l'étincelante queue
Dans un tumulte au silence pareil,

Le vent se lève !... Il faut tenter de vivre !
L'air immense ouvre et referme mon livre,
La vague en poudre ose jaillir des rocs !
Envolez-vous, pages tout éblouies !
Rompez, vagues ! Rompez d'eaux réjouies
Ce toit tranquille où picoraient des focs !

Charmes

LA SOIRÉE AVEC MONSIEUR TESTE (début)

Vita Cartesii est simplicissima...

La bêtise n'est pas mon fort. J'ai vu beaucoup d'individus ; j'ai visité quelques nations ; j'ai pris ma part d'entreprises diverses sans les aimer ; j'ai mangé presque tous les jours ; j'ai touché à des femmes. Je revois maintenant quelques centaines de visages, deux ou trois grands spectacles, et peut-être la substance de vingt livres. Je n'ai pas retenu le meilleur ni le pire de ces choses : est resté ce qui l'a pu.

Cette arithmétique m'épargne de m'étonner de vieillir. Je pourrais aussi faire le compte des moments victorieux de mon esprit, et les imaginer unis et soudés, composant une vie *heureuse*... Mais je crois m'être toujours bien jugé. Je me suis rarement perdu de vue ; je me suis détesté, je me suis adoré ; — puis, nous avons vieilli ensemble.

Fasciné par les peintres
parce qu'ils lui donnent
un aspect intérieur

Comme les peintures qu'il
aimait — tout le monde
attend quelque chose des
sa poésie

PAUL VERLAINE

1844-1896

Les syllabes sont
souvent dans une
césure

(7 - 5 - 13 - 11 - 9 - 7 - 5 - 3)

Marche impair ?

J'apprends de Verlaine = le
sens est dans
la sensation

allitération

Les femmes dans
l'art — on pensait
qu'elles étaient
plus sensibles que les
hommes.

Les hommes avaient

un obsession pour les
femmes

NEVERMORE

Souvenir, souvenir, que me veux-tu? L'automne
Faisait voler la grive à travers l'air atone,
Et le soleil dardait un rayon monotone
Sur le bois jaunissant où la bise détone.

Nous étions seul à seule et marchions en rêvant,
Elle et moi, les cheveux et la pensée au vent.
Soudain, tournant vers moi son regard émouvant:
«Quel fut ton plus beau jour?» fit sa voix d'or vivant,

Sa voix douce et sonore, au frais timbre angélique.
Un sourire discret lui donna la réplique,
Et je baisai sa main blanche, dévotement.

— Ah! les premières fleurs, qu'elles sont parfumées!
Et qu'il bruit avec un murmure charmant
Le premier *oui* qui sort de lèvres bien-aimées!

APRÈS TROIS ANS

Ayant poussé la porte étroite qui chancelle,
Je me suis promené dans le petit jardin
Qu'éclairait doucement le soleil du matin,
Pailletant chaque fleur d'une humide étincelle.

Rien n'a changé. J'ai tout revu : l'humble tonnelle
De vigne folle avec les chaises de rotin...
Le jet d'eau fait toujours son murmure argentin
Et le vieux tremble sa plainte sempiternelle.

Les roses comme avant palpitent ; comme avant,
Les grands lys orgueilleux se balancent au vent.
Chaque alouette qui va et vient m'est connue.

Même j'ai retrouvé debout la Velléda
Dont le plâtre s'écaille au bout de l'avenue,
— Grêle, parmi l'odeur fade du réséda.

MON RÊVE FAMILIER

Je fais souvent ce rêve étrange et pénétrant
D'une femme inconnue, et que j'aime, et qui m'aime
Et qui n'est, chaque fois, ni tout à fait la même
Ni tout à fait une autre, et m'aime et me comprend.

Car elle me comprend, et mon cœur, transparent
Pour elle seule, hélas! cesse d'être un problème
Pour elle seule, et les moiteurs de mon front blême,
Elle seule les sait rafraîchir, en pleurant.

Est-elle brune, blonde ou rousse? — Je l'ignore.
Son nom? Je me souviens qu'il est doux et sonore
Comme ceux des aimés que la Vie exila.

Son regard est pareil au regard des statues,
Et, pour sa voix, lointaine, et calme, et grave, elle a
L'inflexion des voix chères qui se sont tues.

A UNE FEMME

A vous ces vers de par la grâce consolante
De vos grands yeux où rit et pleure un rêve doux,
De par votre âme pure et toute bonne, à vous
Ces vers du fond de ma détresse violente.

C'est qu'hélas ! le hideux cauchemar qui me hante
N'a pas de trêve et va furieux, fou, jaloux,
Se multipliant comme un cortège de loups
Et se pendant après mon sort qu'il ensanglante !

Oh ! je souffre, je souffre affreusement, si bien
Que le gémissement premier du premier homme
Chassé d'Eden n'est qu'une églogue au prix du mien !

Et les soucis que vous pouvez avoir sont comme
Des hirondelles sur un ciel d'après-midi,
— Chère, — par un beau jour de septembre attiédi.

fortement
prévu
comme toi
se porte
le début

SOLEILS COUCHANTS

A Catulle Mendès.

aube *weakened*

Une aube affaiblie
Verse par les champs
La mélancolie
Des soleils couchants.
La mélancolie
Berce de doux chants
Mon cœur qui s'oublie
Aux soleils couchants.
Et d'étranges rêves,
Comme des soleils
Couchants sur les grèves,
Fantômes vermeils,   *vermillon*
Défilent sans trêves,   *(red)*
Défilent, pareils
A des grands soleils
Couchants sur les grèves.

Il pense que ce
qui est passé ne vais
pas être encore une fois

*Il emet
la musique
de tristesse*

CHANSON D'AUTOMNE

Les sanglots longs
Des violons
    De l'automne
Blessent mon cœur
D'une langueur
    Monotone.

Tout suffocant
Et blême, quand
    Sonne l'heure,
Je me souviens
Des jours anciens
    Et je pleure ;

Et je m'en vais
Au vent mauvais
    Qui m'emporte
Deçà, Delà,
Pareil à la
    Feuille morte.

LA CHANSON DES INGÉNUES

Nous sommes les Ingénues
Aux bandeaux plats, à l'œil bleu,
Qui vivons, presque inconnues,
Dans les romans qu'on lit peu.

Nous allons entrelacées,
Et le jour n'est pas plus pur
Que le fond de nos pensées,
Et nos rêves sont d'azur;

Et nous courons par les prés
Et rions et babillons
Des aubes jusqu'aux vesprées,
Et chassons aux papillons;

Et des chapeaux de bergères
Défendent notre fraîcheur,
Et nos robes — si légères —
Sont d'une extrême blancheur;

Les Richelieux, les Caussades
Et les chevaliers Faublas
Nous prodiguent les œillades,
Les saluts et les « hélas! »

Mais en vain, et leurs mimiques
Se viennent casser le nez
Devant les plis ironiques
De nos jupons détournés;

Et notre candeur se raille
Des imaginations
De ces raseurs de muraille,
Bien que parfois nous sentions

Battre nos cœurs sous nos mantes
A des pensers clandestins,
En nous sachant les amantes
Futures des libertins.

A LA PROMENADE

Le ciel si pâle et les arbres si grêles
Semblent sourire à nos costumes clairs
Qui vont flottant légers, avec des airs
De nonchalance et des mouvements d'ailes.

Et le vent doux ride l'humble bassin,
Et la lueur du soleil qu'atténue
L'ombre des bas tilleuls de l'avenue
Nous parvient bleue et mourante à dessein.

Trompeurs exquis et coquettes charmantes,
Cœurs tendres, mais affranchis du serment,
Nous devisons délicieusement,
Et les amants lutinent les amantes,

De qui la main imperceptible sait
Parois donner un soufflet, qu'on échange
Contre un baiser sur l'extrême phalange
Du petit doigt, et comme la chose est

Immensément excessive et farouche,
On est puni par un regard très sec,
Lequel contraste, au demeurant, avec
La moue assez clémente de la bouche.

CYTHÈRE

Un pavillon à claires-voies
Abrite doucement nos joies
Qu'éventent des rosiers amis ;

L'odeur des roses, faibles, grâce
Au vent léger d'été qui passe,
Se mêle aux parfums qu'elle a mis ;

Comme ses yeux l'avaient promis,
Son courage est grand et sa lèvre
Communique une exquise fièvre ;

Et l'Amour comblant tout, hormis
La faim, sorbets et confitures
Nous préservent des courbatures.

EN BATEAU

L'étoile du berger tremblote
Dans l'eau plus noire et le pilote
Cherche un briquet dans sa culotte.

C'est l'instant, Messieurs, ou jamais,
D'être audacieux, et je mets
Mes deux mains partout désormais !

Le chevalier Atys, qui gratte
Sa guitare, à Chloris l'ingrate
Lance une œillade scélérate.

L'abbé confesse bas Eglé,
Et ce vicomte déréglé
Des champs donne à son cœur la clé.

Cependant la lune se lève
Et l'esquif en sa course brève
File gaîment sur l'eau qui rêve.

MANDOLINE

Les donneurs de sérénades
Et les belles écouteuses
Échangent des propos fades
Sous les ramures chanteuses.

C'est Tircis et c'est Aminte,
Et c'est l'éternel Clitandre,
Et c'est Damis qui pour mainte
Cruelle fait maint vers tendre.

Leurs courtes vestes de soie,
Leurs longues robes à queues,
Leur élégance, leur joie
Et leurs molles ombres bleues

Tourbillonnent dans l'extase
D'une lune rose et grise,
Et la mandoline jase
Parmi les frissons de brise.

A CLYMÈNE

Mystiques barcarolles,
Romances sans paroles,
Chère, puisque tes yeux,
    Couleur des cieux,

Puisque ta voix, étrange
Vision qui dérange
Et trouble l'horizon
    De ma raison,

Puisque l'arome insigne
De ta pâleur de cygne,
Et puisque la candeur
    De ton odeur,

Ah ! puisque tout ton être,
Musique qui pénètre,
Nimbes d'anges défunts,
    Tons et parfums,

A, sur d'almes cadences,
En ces correspondances
Induit mon cœur subtil,
    Ainsi soit-il !

EN SOURDINE

Calmes dans le demi-jour
Que les branches hautes font,
Pénétrons bien notre amour
De ce silence profond.

Fondons nos âmes, nos cœurs
Et nos sens extasiés,
Parmi les vagues langueurs
Des pins et des arbousiers.

Ferme tes yeux à demi,
Croise tes bras sur ton sein,
Et de ton cœur endormi
Chasse à jamais tout dessein.

Laissons-nous persuader
Au souffle berceur et doux
Qui vient à tes pieds rider
Les ondes de gazon roux.

Et quand, solennel, le soir
Des chênes noirs tombera,
Voix de notre désespoir,
Le rossignol chantera.

COLLOQUE SENTIMENTAL

Dans le vieux parc solitaire et glacé,
Deux formes ont tout à l'heure passé.

Leurs yeux sont morts et leurs lèvres sont molles,
Et l'on entend à peine leurs paroles.

Dans le vieux parc solitaire et glacé,
Deux spectres ont évoqué le passé.

— Te souvient-il de notre extase ancienne ?
— Pourquoi voulez-vous donc qu'il m'en souvienne ?

— Ton cœur bat-il toujours à mon seul nom ?
Toujours vois-tu mon âme en rêve ? — Non.

— Ah ! les beaux jours de bonheur indicible
Où nous joignions nos bouches ! — C'est possible.

— Qu'il est bleu, le ciel, et grand, l'espoir !
— L'espoir a fui, vaincu, vers le ciel noir.

Tels ils marchaient dans les avoines folles,
Et la nuit seule entendit leurs paroles.

La Bonne Chanson

Puisque l'aube grandit, puisque voici l'aurore,
Puisque, après m'avoir fui longtemps, l'espoir veut bien
Revoler devers moi qui l'appelle et l'implore,
Puisque tout ce bonheur veut bien être le mien,

C'en est fait à présent des funestes pensées,
C'en est fait des mauvais rêves, ah ! c'en est fait
Surtout de l'ironie et des lèvres pincées
Et des mots où l'esprit sans l'âme triomphait.

. . . .

Je veux, guidé par vous, beaux yeux aux flammes douces,
Par toi conduit, ô main où tremblera ma main,
Marcher droit, que ce soit par des sentiers de mousses
Ou que rocs et cailloux encombrent le chemin ;

. . . .

La lune blanche
Luit dans les bois;
De chaque branche
Part une voix
Sous la ramée...

O bien-aimée.

L'étang reflète,
Profond miroir,
La silhouette
Du saule noir
Où le vent pleure...

Rêvons, c'est l'heure.

Un vaste et tendre
Apaisement
Semble descendre
Du firmament
Que l'astre irise...

C'est l'heure exquise.

Romances sans paroles

ARIETTES OUBLIÉES

Le vent dans la plaine
Suspend son haleine.
Favart.

C'est l'extase langoureuse,
C'est la fatigue amoureuse,
C'est tous les frissons des bois
Parmi l'étreinte des brises,
C'est, vers les ramures grises,
Le chœur des petites voix.

O le frêle et frais murmure !
Cela gazouille et susurre,
Cela ressemble au cri doux
Que l'herbe agitée expire...
Tu dirais, sous l'eau qui vire,
Le roulis sourd des cailloux.

Cette âme qui se lamente
En cette plainte dormante
C'est la nôtre, n'est-ce pas ?
La mienne, dis, et la tienne,
Dont s'exhale l'humble antienne
Par ce tiède soir, tout bas ?

Je devine, à travers un murmure,
Le contour subtil des voix anciennes
Et dans les lueurs musiciennes,
Amour pâle, une aurore future !

Et mon âme et mon cœur en délires
Ne sont plus qu'une espèce d'œil double
Où tremblote à travers un jour trouble
L'ariette, hélas ! de toutes lyres !

O mourir de cette mort seulette
Que s'en vont, — cher amour qui t'épeures, —
Balançant jeunes et vieilles heures !
O mourir de cette escarpolette !

*Espire sentrd
de
langueur*

> *Il pleut doucement sur la ville.*
> Arthur Rimbaud.

Il pleure dans mon cœur
Comme il pleut sur la ville;
Quelle est cette langueur
Qui pénètre mon cœur?

O bruit doux de la pluie
Par terre et sur les toits!
Pour un cœur qui s'ennuie
O le chant de la pluie!

Il pleure sans raison
Dans ce cœur qui s'écœure.
Quoi! nulle trahison?...
Ce deuil est sans raison.

C'est bien la pire peine
De ne savoir pourquoi
Sans amour et sans haine
Mon cœur a tant de peine!

GREEN

Voici des fruits, des fleurs, des feuilles et des branches
Et puis voici mon cœur qui ne bat que pour vous.
Ne le déchirez pas avec vos deux mains blanches
Et qu'à vos yeux si beaux l'humble présent soit doux.

J'arrive tout couvert encore de rosée
Que le vent du matin vient glacer à mon front.
Souffrez que ma fatigue à vos pieds reposée
Rêve des chers instants qui la délasseront.

Sur votre jeune sein laissez roulez ma tête
Toute sonore encor de vos derniers baisers;
Laissez-la s'apaiser de la bonne tempête,
Et que je dorme un peu puisque vous reposez.

SPLEEN

Les roses étaient toutes rouges
Et les lierres étaient tout noirs.

Chère, pour peu que tu te bouges,
Renaissent tous mes désespoirs.

Le ciel était trop bleu, trop tendre,
La mer trop verte et l'air trop doux.

Je crains toujours, — ce qu'est d'attendre ! —
Quelque fuite atroce de vous.

Du houx à la feuille vernie
Et du luisant buis je suis las,

Et de la campagne infinie
Et de tout, fors de vous, hélas !

Verlaine est en prison

Sombre

Un grand sommeil noir
Tombe sur ma vie :
Dormez, tout espoir,
Dormez, toute envie !

Je ne vois plus rien,
Je perds la mémoire
Du mal et du bien...
O la triste histoire !

Je suis un berceau
Qu'une main balance
Au creux d'un caveau :
Silence, silence !

*Verlaine est
en prison*

Le ciel est, par-dessus le toit,
      Si bleu, si calme !
Un arbre, par-dessus le toit,
      Berce sa palme.

La cloche, dans le ciel qu'on voit,
      Doucement tinte.
Un oiseau sur l'arbre qu'on voit
      Chante sa plainte.

Mon Dieu, mon Dieu, la vie est là,
      Simple et tranquille.
Cette paisible rumeur-là
      Vient de la ville.

— Qu'as-tu fait, ô toi que voilà
      Pleurant sans cesse,
Dis, qu'as-tu fait, toi que voilà,
      De ta jeunesse.

Le son du cor s'afflige vers les bois
D'une douleur on veut croire orpheline
Qui vient mourir au bas de la colline
Parmi la bise errant en courts abois.

L'âme du loup pleure dans cette voix
Qui monte avec le soleil qui décline
D'une agonie on veut croire câline
Et qui ravit et qui navre à la fois.

Pour faire mieux cette plainte assoupie,
La neige tombe à longs traits de charpie
A travers le couchant sanguinolent,

Et l'air a l'air d'être un soupir d'automne,
Tant il fait doux par ce soir monotone
Où se dorlote un paysage lent.

ART POÉTIQUE

A Charles Morice.

De la musique avant toute chose,
Et pour cela préfère l'Impair
Plus vague et plus soluble dans l'air,
Sans rien en lui qui pèse ou qui pose.

Il faut aussi que tu n'ailles point
Choisir tes mots sans quelque méprise :
Rien de plus cher que la chanson grise
Où l'Indécis au Précis se joint.

C'est des beaux yeux derrière des voiles,
C'est le grand jour tremblant de midi,
C'est par un ciel d'automne attiédi,
Le bleu fouillis des claires étoiles !

Car nous voulons la Nuance encor,
Pas la Couleur, rien que la nuance !
Oh ! la nuance seule fiance
Le rêve au rêve et la flûte au cor !

Fuis du plus loin la Pointe assassine, *= un attack.*
assassi
L'Esprit cruel et le Rire impur,
Qui font pleurer les yeux de l'Azur,
Et tout cet ail de basse cuisine !

Prends l'éloquence et tords-lui son cou !
Tu feras bien, en train d'énergie,
De rendre un peu la Rime assagie, *plus sage*
Si l'on n'y veille, elle ira jusqu'où ?

O qui dira les torts de la Rime,
Quel enfant sourd ou quel nègre fou
Nous a forgé ce bijou d'un sou
Qui sonne creux et faux sous la lime ?

De la musique encore et toujours !
Que ton vers soit la chose envolée
Qu'on sent qui fuit d'une âme en allée
Vers d'autres cieux à d'autres amours.

Que ton vers soit la bonne aventure
Éparse au vent crispé du matin
Qui va fleurant la menthe et le thym…
Et tout le reste est littérature.

ALFRED DE VIGNY

1797-1863

Les Destinées
POÈMES PHILOSOPHIQUES

« C'était écrit. »

Depuis le premier jour de la création,
Les pieds lourds et puissants de chaque Destinée
Pesaient sur chaque tête et sur toute action.

Chaque front se courbait et traçait sa journée,
Comme le font d'un bœuf creuse un sillon profond
Sans dépasser la pierre où sa ligne est bornée.

Ces froids Déités liaient le joug de plomb
Sur le crâne et les yeux des Hommes leurs esclaves,
Tous errant sans étoile en un désert sans fond;

Levant avec effort leurs pieds chargés d'entraves,
Suivant le doigt d'airain dans le cercle fatal,
Le doigt des Volontés inflexibles et graves.

Tristes Divinités du monde Oriental,
Femmes au voile blanc, immuables statues,
Elles nous écrasaient de leur poids colossal.

Comme un vol de vautours sur le sol abattues,
Dans un ordre éternel, toujours en nombre égal
Aux têtes des mortels sur la terre épandues,

Elles avaient posé leur ongle sans pitié
Sur les cheveux dressés des races éperdues,
Traînant la femme en pleurs et l'homme humilié.

Un soir il arriva que l'antique planète
Secoua sa poussière. — Il se fit un grand cri :
« Le Sauveur est venu, voici le jeune athlète ;

« Il a le front sanglant et le côté meurtri,
Mais la Fatalité meurt au pied du Prophète,
La Croix monte et s'étend sur nous comme un abri ! »

Avant l'heure où, jadis, ces choses arrivèrent,
Tout l'homme était courbé, le front pâle et flétri ;
Quand ce cri fut jeté, tous ils se relevèrent.

Détachant les nœuds lourds du joug de plomb du Sort,
Toutes les Nations à la fois s'écrièrent :
« O Seigneur ! est-il vrai ? Le Destin est-il mort ? »

Et l'on vit remonter vers le ciel, par volée,
Les filles du Destin, ouvrant avec effort
Leurs ongles qui pressaient nos races désolées ;

Sous leur robe aux longs plis voilant leurs pieds d'airain
Leur main inexorable et leur face inflexible ;
Montant avec lenteur en innombrable essaim,

D'un vol inaperçu, sans ailes, insensible,
Comme apparaît au soir, vers l'horizon lointain,
D'un nuage orageux l'ascension paisible.

— Un soupir de bonheur sortit du cœur humain.
La terre frissonna dans son orbite immense,
Comme un cheval frémit délivré de son frein.

Tous les astres émus restèrent en silence,
Attendant avec l'Homme, en la même stupeur,
Le suprême décret de la Toute-Puissance,

Quand ces filles du Ciel, retournant au Seigneur,
Comme ayant retrouvé leurs régions natales,
Autour de Jéhovah se rangèrent en chœur

D'un mouvement pareil levant leurs mains fatales,
Puis chantant d'une voix leur hymne de douleur
Et baissant à la fois leurs fronts calmes et pâles :

« Nous venons demander la Loi de l'avenir.
Nous sommes, O Seigneur, les froides Destinées
Dont l'antique pouvoir ne devait point faillir.

« Nous roulions sous nos doigts les jours et les années.
Devons-nous vivre encore ou devons-nous finir,
Des Puissances du ciel, nous, les fortes aînées ?

« Vous détruisez d'un coup le grand piège du Sort
Où tombaient tour à tour les races consternées :
Faut-il combler la fosse et briser le ressort ?

« Ne mènerons-nous plus ce troupeau faible et morne,
Ces hommes d'un moment, ces condamnés à mort
Jusqu'au bout du chemin dont nous posions la borne ?

« Le moule de la vie était creusé par nous.
Toutes les Passions y répandaient leur lave,
Et les événements venaient s'y fondre tous.

« Sur les tables d'airain où notre loi se grave,
Vous effacez le nom de la FATALITÉ,
Vous déliez les pieds de l'Homme notre esclave.

« Qui va porter le poids dont s'est épouvanté
Tout ce qui fut créé ? ce poids sur la pensée,
Dont le nom est en bas : RESPONSABILITÉ ? »

Il se fit un silence et la Terre affaissée
S'arrêta comme fait la barque sans rameurs
Sur les flots orageux, dans la nuit balancée.

Une voix descendit, venant de ces hauteurs
Où s'engendrent sans fin les mondes dans l'espace ;
Cette voix, de la Terre emplit les profondeurs :

« Retournez en mon nom, Reines, je suis la Grâce.
L'Homme sera toujours un nageur incertain
Dans les ondes du temps qui se mesure et passe.

« Vous toucherez son front, ô filles du Destin.
Son bras ouvrira l'eau, qu'elle soit haute ou basse,
Voulant trouver sa place et deviner sa fin.

« Il sera plus heureux, se croyant maître et libre,
En luttant contre vous dans un combat mauvais
Où moi seule, d'en haut, je tiendrai l'équilibre.

« De moi naîtra son souffle et sa force à jamais.
Son mérite est le mien, sa loi perpétuelle :
Faire ce que je veux pour venir où JE SAIS. »

Et le chœur descendit vers sa proie éternelle
Afin d'y ressaisir sa domination
Sur la race timide, incomplète et rebelle.

On entendit venir la sombre Légion
Et retomber les pieds des femmes inflexibles,
Comme sur nos caveaux tombe un cercueil de plomb.

Chacune prit chaque homme en ses mains invisibles ;
Mais plus forte à présent, dans ce sombre duel,
Notre âme en deuil combat ces Esprits impassibles.

Nous soulevons parfois leur doigt faux et cruel,
La Volonté transporte à des hauteurs sublimes
Notre front éclairé par un rayon du ciel.

Cependant sur nos caps, sur nos rocs, sur nos cimes,
Leur doigt rude et fatal se pose devant nous
Et, d'un coup, nous renverse au fond des noirs abîmes.

Oh ! dans quel désespoir nous sommes encor tous !
Vous avez élargi le COLLIER qui nous lie,
Mais qui donc tient la chaîne ? — Ah ! Dieu juste, est-ce vous ?

Arbitre libre et fier des actes de sa vie,
Si notre cœur s'entr'ouvre au parfum des vertus,
S'il s'embrase à l'amour, s'il s'élève au génie,

Que l'ombre des Destins, Seigneur, n'oppose plus
A nos belles ardeurs une immuable entrave,
A nos efforts sans fin des coups inattendus !

O sujet d'épouvante à troubler le plus brave !
Question sans réponse où vos Saints se sont tus !
O Mystère ! ô tourment de l'âme forte et grave !

Notre mot éternel est-il : C'ÉTAIT ÉCRIT ?
    — SUR LE LIVRE DE DIEU, dit l'Orient esclave ;
Et l'Occident répond : — SUR LE LIVRE DU CHRIST.

Écrit au Maine-Giraud (Charente),
27 août 1849.

La Maison du berger

LETTRE A EVA

Si ton cœur, gémissant du poids de notre vie,
Se traîne et se débat comme un aigle blessé,
Portant comme le mien, sur mon aile asservie,
Tout un monde fatal, écrasant et glacé ;

S'il ne bat qu'en saignant par sa plaie immortelle
S'il ne voit plus l'amour, son étoile fidèle
Éclairer pour lui seul l'horizon effacé ;

Si ton âme enchaînée, ainsi que l'est mon âme,
Lasse de son boulet et de son pain amer,
Sur sa galère en deuil laisse tomber la rame,
Penche sa tête pâle et pleure sur la mer,
Et, cherchant dans les flots une route inconnue,
Y voit, en frissonnant, sur son épaule nue
La lettre sociale écrite avec le fer ;

Si ton corps, frémissant des passions secrètes,
S'indigne des regards, timide et palpitant ;
S'il cherche à sa beauté de profondes retraites
Pour la mieux dérober au profane insultant ;
Si ta lèvre se sèche au poison des mensonges,
Si ton beau front rougit de passer dans les songes
D'un impur inconnu qui te voit et t'entend :

Pars courageusement, laisse toutes les villes ;
Ne ternis plus tes pieds aux poudres du chemin ;
Du haut de nos pensers vois les cités serviles
Comme les rocs fatals de l'esclavage humain.
Les grands bois et les champs sont de vastes asiles,
Libres comme la mer autour des sombres îles.
Marche à travers les champs une fleur à la main.

La Nature t'attend dans un silence austère :
L'herbe élève à tes pieds son nuage des soirs,
Et le soupir d'adieu du soleil à la terre
Balance les beaux lys comme des encensoirs.
La forêt a voilé ses colonnes profondes,
La montagne se cache, et sur les pâles ondes
Le saule a suspendu ses chastes reposoirs.

Le crépuscule ami s'endort dans la vallée
Sur l'herbe d'émeraude et sur l'or du gazon,
Sous les timides joncs de la source isolée
Et sous le bois rêveur qui tremble à l'horizon,
Se balance en fuyant dans les grappes sauvages
Jette son manteau gris sur le bord des rivages,
Et des fleurs de la nuit entr'ouvre la prison.

Il est sur ma montagne une épaisse bruyère
Où les pas du chasseur ont peine à se plonger,
Qui plus haut que nos fronts lève sa tête altière,
Et garde dans la nuit le pâtre et l'étranger.
Viens y cacher l'amour et ta divine faute ;
Si l'herbe est agitée ou n'est pas assez haute,
J'y roulerai pour toi la Maison du Berger.

Elle va doucement avec ses quatre roues,
Son toit n'est pas plus haut que ton front et tes yeux ;
La couleur du corail et celle de tes joues
Teignent le char nocturne et ses muets essieux.
Le seuil est parfumé, l'alcôve est large et sombre,
Et là, parmi les fleurs, nous trouverons dans l'ombre
Pour nos cheveux unis, un lit silencieux.

Je verrai, si tu veux, les pays de la neige,
Ceux où l'astre amoureux dévore et resplendit,
Ceux que heurtent les vents, ceux que la mer assiège,
Ceux où le pôle obscur sous sa glace est maudit.
Nous suivrons du hasard la course vagabonde.
Que m'importe le jour? que m'importe le monde?
Je dirai qu'ils sont beaux quand tes yeux l'auront dit.

Que Dieu guide à son but la vapeur foudroyante
Sur le fer des chemins qui traversent les monts,
Qu'un Ange soit debout sur sa forge bruyante,
Quand elle va sous terre ou fait trembler les ponts
Et de ses dents de feu dévorant ses chaudières,
Transperce les cités et saute les rivières,
Plus vite que le cerf dans l'ardeur de ses bonds !

Oui, si l'Ange aux yeux bleus ne veille sur sa route,
Et le glaive à la main ne plane et la défend,
S'il n'a compté les coups du levier, s'il n'écoute
Chaque tour de la roue en son cours triomphant,
S'il n'a l'œil sur les eaux et la main sur la braise,
Pour jeter en éclats la magique fournaise,
Il suffira toujours du caillou d'un enfant.

Sur le taureau de fer qui fume, souffle et beugle,
L'homme a monté trop tôt. Nul ne connaît encor
Quels orages en lui porte ce rude aveugle,
Et le gai voyageur lui livre son trésor;
Son vieux père et ses fils, il les jette en otage
Dans le ventre brûlant du taureau de Carthage,
Qui les rejette en cendre aux pieds du Dieu de l'or.

Mais il faut triompher du temps et de l'espace,
Arriver ou mourir. Les marchands sont jaloux.
L'or pleut sous les charbons de la vapeur qui passe,
Le moment et le but sont l'univers pour nous.
Tous se sont dit : « Allons ! » Mais aucun n'est le maître
Du dragon mugissant qu'un savant a fait naître;
Nous nous sommes joués à plus fort que nous tous.

Eh bien ! que tout circule et que les grandes causes
Sur les ailes de feu lancent les actions,
Pourvu qu'ouverts toujours aux généreuses choses,
Les chemins du vendeur servent les passions !
Béni soit le Commerce au hardi caducée,
Si l'Amour que tourmente une sombre pensée
Peut franchir en un jour deux grandes nations !

Mais, à moins qu'un ami menacé dans sa vie
Ne jette, en appelant, le cri du désespoir,
Ou qu'avec son clairon la France nous convie
Aux fêtes du combat, aux luttes du savoir ;
A moins qu'au lit de mort une mère éplorée
Ne veuille encor poser sur sa race adorée
Ces yeux tristes et doux qu'on ne doit plus revoir,

Évitons ces chemins. — Leur voyage est sans grâces
Puisqu'il est aussi prompt, sur ses lignes de fer,
Que la flèche lancée à travers les espaces
Qui va de l'arc au but en faisant siffler l'air.
Ainsi jetée au loin, l'humaine créature
Ne respire et ne voit, dans toute la nature,
Qu'un brouillard étouffant que traverse un éclair.

On n'entendra jamais piaffer sur une route
Le pied vif du cheval sur les pavés en feu ;
Adieu, voyages lents, bruits lointains qu'on écoute,
Le rire du passant, les retards de l'essieu,
Les détours imprévus des pentes variées,
Un ami rencontré, les heures oubliées,
L'espoir d'arriver tard dans un sauvage lieu.

La distance et le temps sont vaincus. La science
Trace autour de la terre un chemin triste et droit.
Le Monde est rétréci par notre expérience
Et l'équateur n'est plus qu'un anneau trop étroit.
Plus de hasard. Chacun glissera sur sa ligne
Immobile au seul rang que le départ assigne,
Plongé dans un calcul silencieux et froid.

Jamais la Rêverie amoureuse et paisible
N'y verra sans horreur son pied blanc attaché ;
Car il faut que ses yeux sur chaque objet visible
Versent un long regard, comme un fleuve épanché,
Qu'elle interroge tout avec inquiétude,
Et, des secrets divins se faisant une étude,
Marche, s'arrête et marche avec le col penché.

. . . .

Viens donc ! le ciel pour moi n'est plus qu'une auréole
Qui t'entoure d'azur, t'éclaire et te défend ;
La montagne est ton temple et le bois sa coupole,
L'oiseau n'est sur la fleur balancé par le vent,
Et la fleur ne parfume et l'oiseau ne soupire
Que pour mieux enchanter l'air que ton sein respire ;
La terre est le tapis de tes beaux pieds d'enfant.

Eva, j'aimerai tout dans les choses créées,
Je les contemplerai dans ton regard rêveur
Qui partout répandra ses flammes colorées,
Son repos gracieux, sa magique saveur :
Sur mon cœur déchiré viens poser ta main pure,
Ne me laisse jamais seul avec la Nature,
Car je la connais trop pour n'en pas avoir peur.

Elle me dit : « Je suis l'impassible théâtre
Que ne peut remuer le pied de ses acteurs ;
Mes marches d'émeraude et mes parvis d'albâtre,
Mes colonnes de marbre ont les dieux pour sculpteurs.
Je n'entends ni vos cris ni vos soupirs ; à peine
Je sens passer sur moi la comédie humaine
Qui cherche en vain au ciel ses muets spectateurs.

« Je roule avec dédain, sans voir et sans entendre,
A côté des fourmis les populations ;
Je ne distingue pas leur terrier de leur cendre,
J'ignore en les portant les noms des nations.

On me dit une mère et je suis une tombe.
Mon hiver prend vos morts comme son hécatombe,
Mon printemps ne sent pas vos adorations.

« Avant vous, j'étais belle et toujours parfumée,
J'abandonnais au vent mes cheveux tout entiers,
Je suivais dans les cieux ma route accoutumée
Sur l'axe harmonieux des divins balanciers.
Après vous, traversant l'espace où tout s'élance,
J'irai seule et sereine, en un chaste silence
Je fendrai l'air du front et de mes seins altiers. »

C'est là ce que me dit sa voix triste et superbe,
Et dans mon cœur alors je la hais, et je vois
Notre sang dans son onde et nos morts sous son herbe
Nourrissant de leurs sucs la racine des bois.
Et je dis à mes yeux qui lui trouvaient des charmes :
« Ailleurs tous vos regards, ailleurs toutes vos larmes,
Aimez ce que jamais on ne verra deux fois. »

Oh ! qui verra deux fois ta grâce et ta tendresse,
Angle doux et plaintif qui parle en soupirant ?
Qui naîtra comme toi portant une caresse
Dans chaque éclair tombé de ton regard mourant,
Dans les balancements de ta tête penchée,
Dans ta taille dolente et mollement couchée
Et dans ton pur sourire amoureux et souffrant ?

Vivez, froide Nature, et revivez sans cesse
Sous nos pieds, sur nos fronts, puisque c'est votre loi ;
Vivez, et dédaignez, si vous êtes déesse,
L'Homme, humble passager, qui dut vous être un Roi ;
Plus que tout votre règne et que ses splendeurs vaines
J'aime la majesté des souffrances humaines :
Vous ne recevrez pas un cri d'amour de moi.

Mais toi, ne veux-tu pas, Voyageuse indolente,
Rêver sur mon épaule, en y posant ton front ?
Viens du paisible seuil de la maison roulante
Voir ceux qui sont passés et ceux qui passeront.
Tous les tableaux humains qu'un Esprit pur m'apporte
S'animeront pour toi, quand devant notre porte
Les grands pays muets longuement s'étendront.

Nous marcherons ainsi, ne laissant que notre ombre
Sur cette terre ingrate où les morts ont passés ;
Nous nous parlerons d'eux à l'heure où tout est sombre,
Où tu te plais à suivre un chemin effacé,
A rêver, appuyée aux branches incertaines,
Pleurant, comme Diane au bord de ses fontaines,
Ton amour taciturne et toujours menacé.

FRANÇOIS VILLON

1431-1463

LE LAIS

L'an quatre cent cinquante six,
Je, François Villon, écolier,
Considérant, de sens rassis,
Le frein aux dents, franc au collier,
Qu'on doit ses œuvres conseillier
Comme Vegece le raconte,
Sage romain, grand conseillier,
Ou autrement on se mécompte…

En ce temps que j'ai dit devant,
Sur le Noel, morte saison,
Que les loups se vivent de vent
Et qu'on se tient en sa maison,
Pour le frimas, près du tison,
Me vint un vouloir de briser
La tres amoureuse prison
Qui souloit mon cœur debriser.

Je le fis en telle façon,
Voyant celle devant mes yeux
Consentant a ma défaçon,
Sans ce que ja lui en fût mieux ;
Dont je me deuil et plains aux cieux,
En requerant d'elle vengeance
A tous les dieux venerieux,
Et du grief d'amour allegeance.

Et se j'ai prins en ma faveur
Ces doux regards et beaux semblants
De tres decevante saveur,
Me treperçants jusques aux flancs,
Bien ils ont vers moi les pieds blancs
Et me faillent au grand besoin.
Planter me faut autres complants
Et frapper en un autre coin.

Le regard de celle m'a prins
Qui m'a été felonne et dure :
Sans ce qu'en rien aie méprins,
Veut et ordonne que j'endure
A mort, et que plus je ne dure ;
Si n'y voi secours que fouïr.
Rompre veut la vive soudure,
Sans mes piteux regrets ouïr !

Pour obvier a ces dangers,
Mon mieux est, ce croi, de partir.
Adieu ! Je m'en vais a Angers :
Puis qu'el ne me veut impartir·
Sa grace, ne me departir,
Par elle meurs, les membres sains ;
Au fort, je suis amant martyr
Du nombre des amoureux saints.

Combien que [1] le depart me soit
Dur, si faut il que je l'élogne :
Comme mon pauvre sens conçoit,
Autre que moi est en quelogne [2],
Dont oncque soret [3] de Boulogne
Ne fut plus altéré d'humeur.
C'est pour moi piteuse besogne :
Dieu en veuille ouïr ma clameur !

Et puis que departir me faut,
Et du retour ne suis certains,
(Je ne suis homme sans défaut
Ne qu'autre d'acier ne d'étain ;
Vivre aux humains est incertain,
Et après mort n'y a relais ;
Je m'en vais en pays lointain),
Si établis ce present lais.

. . . .

---

1. Bien que.
2. En faveur.
3. Hareng-saur.

LE TESTAMENT

En l'an trentieme de mon âge
Que toutes mes hontes j'eus bues,
Ne du tout fol, ne du tout sage [1],
Non obstant maintes peines eues,
Lesquelles j'ai toutes reçues
Sous la main Thibaut d'Aussigny...
S'evêque il est, seignant [2] les rues,
Qu'il soit le mien je le regny!

. . . .

Je plains le temps de ma jeunesse
(Ouquel j'ai plus qu'autre galé [3]
Jusqu'a l'entree de vieillesse)
Qui son partement [4] m'a celé.
Il ne s'en est a pied allé
N'a cheval : helas ! comment don ? [5]
Soudainement s'en est volé
Et ne m'a laissé quelque don.

---

1. Ni tout à fait fou ni tout à fait sage.
2. Bénissant.
3. Pendant lequel je me suis plus qu'aucun autre amusé.
4. Son départ.
5. Donc.

Allé s'en est, et je demeure,
Pauvre de sens et de savoir,
Triste, failli, plus noir que meure [1],
Qui n'ai cens ne rente n'avoir;
Des miens le mendre [2], je dis voir, ·
De me désavouer s'avance,
Oubliant naturel devoir
Par faute d'un peu de chevance.

Si ne crains avoir dépendu [3]
Par friander ne par lécher;
Par trop amer n'ai rien vendu
Qu'amis me puissent reproucher,
Au moins qui leur coûte mout cher.
Je le dis et ne crois médire;
De ce je me puis revencher :
Qui n'a méfait ne le doit dire.

Bien est verté que j'ai amé
Et ameroi voulentiers;
Mais triste cœur, ventre affamé
Qui n'est rassasié au tiers
M'ôte des amoureux sentiers.
Au fort, quelqu'un s'en recompense,
Qui est rempli sur les chantiers!
Car la danse vient de la panse.

Bien sais, se j'eusse étudié
Ou temps de ma jeunesse folle,
Et a bonnes mœurs dedié,
J'eusse maison et couche molle.

---

1. Qu'une mûre.
2. Moindre.
3. Dépensé.

Mais quoi ? je fuyoie l'école,
Comme fait le mauvais enfant.
En écrivant cette parole
A peu que le cœur ne me fend.

. . . .

« Mes jours s'en sont allés errant
Comme, dit Job, d'une touaille
Font les filets, quand tisserand
En son poing tient ardente paille. »
Lors, s'il y a nul bout qui saille,
Soudainement il le ravit.
Si ne crains plus que rien m'assaille.
Car a la mort tout s'assouvit.

Ou sont les gracieux galants
Que je suivoie ou temps jadis,
Si bien chantants, si bien parlants,
Si plaisants en faits et en dits ?
Les aucuns sont morts et roidis,
D'eux n'est il plus rien maintenant :
Repos aient en paradis,
Et Dieu sauve le remenant !

Et les autres sont devenus,
Dieu merci ! grands seigneurs et maîtres ;
Les autres mendient tous nus
Et pain ne voient qu'aux fenêtres [1] ;

_____
1. Aux vitrines.

Les autres sont entrés en cloîtres
De Celestins ou de Chartreux,
Bottés, housés com pêcheurs d'oîtres[1] :
Voyez l'état divers d'entre eux.

Aux grands maîtres doint Dieu bien faire,
Vivants en paix et en requoi[2] ;
En eux il n'y a que refaire,
Si s'en fait bon taire tout coi.
Mais aux pauvres qui n'ont de quoi,
Comme moi, Dieu doint patience !
Aux autres ne faut[3] qui ne quoi,
Car assez ont vin et pitance.

Bons vins ont, souvent embrochés[4],
Sauces, brouets et gros poissons ;
Tartes, flans, œufs frits et pochés,
Perdus et en toutes façons.
Pas ne ressemblent les maçons
Que servir faut a si grand peine :
Ils ne veulent nuls échansons,
De soi verser chacun se peine.

. . . .

Pauvre je suis de ma jeunesse,
De pauvre et de petite extrace.
Mon pere n'ot onc[5] grand richesse,
Ne[6] son aïeul nommé Orace.

---

1. D'huîtres.
2. Repos.
3. Manque.
4. Mis en perce.
5. Jamais.
6. Ni.

Pauvreté tous nous suit et trace;
Sur les tombeaux de mes ancêtres,
Les ames desquels Dieu embrasse!
On n'y voit couronnes ne sceptres.

De pauvreté me guermentant[1],
Souventes fois me dit le cœur:
« Homme, ne te doulouse tant
Et ne demene tel douleur,
Se tu n'as tant qu'eut Jacques Cœur:
Mieux vaut vivre sous gros bureau[2]
Pauvre, qu'avoir été seigneur
Et pourrir sous riche tombeau! »

. . . .

Si ne suis, bien le considere,
Fils d'ange portant diademe
D'étoile ne d'autre sidere[3].
Mon pere est mort, Dieu en ait l'ame!
Quant est du corps, il gît sous lame...
J'entends que ma mere mourra,
Et le sait bien la pauvre femme,
Et le fils pas ne demourra.

Je congnois que pauvres et riches,
Sages et fous, prêtres et lais,
Nobles, vilains, larges et chiches,
Petits et grands, et beaux et laids,
Dame a rebrassés collets,
De quelconque condition,
Portant atours et bourrelets,
Mort saisit sans exception.

---

1. Ou « garmentant » : lamentant.
2. Bure, gros tissu rugueux.
3. Constellation.

Et meure Paris ou Helene,
Quiconque meurt, meurt a douleur
Telle qu'il perd vent et haleine;
Son fiel se creve sur son cœur,
Puis sue, Dieu sait quel sueur!
Et n'est qui de ses maux l'allege [1]:
Car enfant n'a, frere ne sœur
Qui lors vousît être son pleige [2].

La mort le fait fremir, palir,
Le nez courber, les veines tendre,
Le col enfler, la chair mollir,
Jointes et nerfs croître et étendre.
Corps feminin, qui tant es tendre,
Poly, souef, si précieux,
Te faudra il ces maux attendre?
Oui, ou tout vif aller es cieux.

---

1. Il n'est personne qui puisse soulager ses maux.
2. Qui alors accepterait d'être sa caution.

BALLADE
DES DAMES DU TEMPS JADIS

Dites moi ou, n'en quel pays
Est Flora la belle Romaine;
Archipiades [1] ne Thaïs
Qui fut sa cousine germaine;
Echo, parlant quand bruit on mene
Dessus riviere ou sus étang,
Qui beauté ot trop plus qu'humaine?
Mais ou sont les neiges d'antan?

Ou est la tres sage Heloïs,
Pour qui fut châtré et puis moine
Pierre Esbaillart [2] a Saint Denis?
Pour son amour ot cette essoine.
Semblablement ou est la roine
Qui commanda que Buridan
Fût jeté en un sac en Seine?
Mais ou sont les neiges d'antan?

La roine Blanche comme un lis
Qui chantoit a voix de seraine,
Berthe au grand pied, Bietris, Alis,
Aremburgis qui tint le Maine,

---

1. Alcibiade, lequel, au Moyen Age, passait pour avoir été une femme.
2. Abélard.

Et Jeanne, la bonne Lorraine
Qu'Anglois brulerent à Rouen ;
Ou sont ils, ou, Vierges Souvraine ?
Mais ou sont les neiges d'antan ?

Prince, n'enquerez de semaine
Ou elles sont, ne de cet an,
Qu'a ce refrain ne vous remaine :
Mais ou sont les neiges d'antan ?

Aussi ces pauvres femmelettes
Qui vieilles sont et n'ont de quoi,
Quand ils voient ces pucelettes
Emprunter elles[1], a recoi
Ils demandent a Dieu pourquoi
Si tôt naquirent, n'a quel droit.
Notre Seigneur se tait tout coi,
Car au tancer[2] il le perdroit.

---

1. Se servir d'elles comme d'entremetteuses ; ou encore : prendre leur place.
2. Dans la discussion.

LES REGRETS
DE LA BELLE HEAUMIERE

Avis m'est que j'oi regretter
La Belle qui fut hëaumiere,
Soi jeune fille souhaiter
Et parler en telle maniere :
« Ha ! vieillesse felonne et fiere,
Pour quoi m'as si tôt abattue ?
Qui me tient que je ne me fiere,
Et qu'a ce coup je ne me tue ?

« Tollu [1] m'as la haute franchise
Que beauté m'avait ordonné
Sur clercs, marchands et gens d'Eglise :
Car lors il n'étoit homme né
Qui tout le sien ne m'eût donné,
Quoi qu'il en fût des repentailles,
Mais que lui eusse abandonné
Ce que refusent truandailles.

---

1. Oté.

« A maint homme l'ai refusé,
Qui n'étoit a moi grand sagesse,
Pour l'amour d'un garçon rusé,
Auquel j'en fis grande largesse.
A qui que je fisse finesse,
Par m'ame, je l'amoie bien!
Or ne me faisoit que rudesse,
Et ne m'amoit que pour le mien [1].

« Si ne me sceut tant detrainer,
Fouler aux pieds que ne l'aimasse;
Et m'eût il fait les reins trainer
S'il m'eût dit que je le baisasse,
Que tous mes maux je n'oubliasse!
Le glouton, de mal enteché
M'embrassoit... J'en suis bien plus grasse!
Que m'en reste il? Honte et peché.

« Or est il mort, passé trente ans,
Et je remains vieille, chenue.
Quand je pense, lasse! au bon temps,
Quelle fus, quelle devenue;
Quand me regarde toute nue,
Et je me vois si tres changee,
Pauvre, seche, megre, menue,
Je suis presque toute enragee.

« Qu'est devenu ce front poli,
Ces cheveux blonds, sourcils voutis,
Grand entrœil, le regard joli,
Dont prenoie les plus soubtilz;
Ce beau nez droit, grand ne petit,
Ces petites jointes oreilles,
Menton fourchu, clair vis traitis [2],
Et ces belles levres vermeilles?

---

1. Pour mon argent.
2. Visage aux traits harmonieux.

« Ces gentes épaules menues,
Ces bras longs et ces mains traitisses,
Petits tetins, hanches charnues,
Elevees, propre, faitisses
A tenir amoureuses lices ;
Ces larges reins, ce sadinet
Assis sur grosses fermes cuisses
Dedans son petit jardinet ?

« Le front ridé, les cheveux gris,
Les sourcils chûs, les yeux éteints,
Qui faisoient regards et ris
Dont maints marchands furent atteints ;
Nez courbes de beauté lointains,
Oreilles pendantes, moussues,
Le vis pali, mort et déteins,
Menton froncé, levres peaussues...

« C'est d'humaine beauté l'issue !
Les bras courts et les mains contraites [1],
Des épaules toute bossue ;
Mamelles, quoi ? toutes retraites ;
Telles les hanches que les tettes ;
Du sadinet, fi ! Quant des cuisses,
Cuisses ne sont plus, mais cuissettes
Grivelees comme saucisses.

« Ainsi le bon temps regrettons
Entre nous, pauvres vieilles sottes,
Assises bas, a croupetons,
Tout en un tas comme pelotes,
A petit feu de chenevottes
Tôt allumees, tôt éteintes ;
Et jadis fûmes si mignottes !
Ainsi en prend a maints et maintes. »

---

1. Recroquevillées.

BALLADE
DE LA BELLE HEAUMIERE
AUX FILLES DE JOIE

« Or y pensez, belle Gantiere
Qui écoliere souliez être,
Et vous, Blanche la Savetiere,
Or est il temps de vous connaître,
Prenez a destre et a senestre [1]
N'épargnez homme, je vous prie :
Car vieilles n'ont ne cours ne être,
Ne que monnoie qu'on décrie.

« Et vous, la gente Saucissiere
Qui de danser estez adêtre,
Guillemette la Tapissiere,
Ne méprenez vers votre maître :
Tôt vous faudra clore fenêtre,
Quand deviendrez vieille, flétrie ;
Plus ne servirez qu'un vieil prêtre,
Ne que monnoie qu'on décrie.

1. A droite et à gauche.

Jeanneton la Chaperonniere,
Gardez qu'ami ne vous empêtre ;
Et Catherine la Boursiere,
N'envoyez plus les hommes paître ;
Car qui belle n'est, ne perpetre
Leur male grace, mais leur rie.
Laide vieillesse amour n'empetre
Ne que monnoie qu'on décrie.

Filles, veuillez vous entremettre
D'écouter pour quoi pleure et crie :
Pour ce que je ne me puis mettre
Ne que monnoie qu'on décrie. »

Se celle que jadis servoie
De si bon cœur et loyaument
Dont tant de maux et griefs j'avoie,
Et souffroie tant de torment,
Se dit m'eût, au commencement,
Sa voulenté (mais nenni, las !)
J'eusse mis peine aucunement
De moi retraire de ses lacs [1].

Quoi que je lui vousisse dire,
Elle étoit prête d'écouter
Sans m'accorder ni contredire ;
Qui plus, me souffroit acouter [2]
Joignant d'elle, près m'accouter [3],
Et ainsi m'alloit amusant,
Et me souffroit tout raconter ;
Mais ce n'étoit qu'en m'abusant.

---

1. Liens, entraves.
2. Approcher.
3. Appuyer.

Abusé m'a et fait entendre
Toujours d'un que ce fût un autre;
De farine que ce fût cendre;
D'un mortier un chapeau de fautre;
De vieil machfer que fût peautre;
D'ambesas que ce fussent ternes [1];
(Toujours trompeur autrui enjautre
Et rend vessies pour lanternes.).

Du ciel, une poele d'arain;
Des nues, une peau de veau;
Du matin, qu'étoit le serein;
D'un trognon de chou, un naveau;
D'orde cervoise, vin nouveau;
D'une truie, un molin a vent;
Et d'une hart, un écheveau;
D'un gras abbé, un poursuivant.

Ainsi m'ont amours abusé
Et pourmené de l'huis au pêle.
Je crois qu'homme n'est si rusé,
Fût fin comme argent en coupelle,
Qui n'y laissât linge, drapelle,
Mais qu'il fût ainsi manié
Comme moi, qui partout m'appelle
L'amant remis et renié

Je renie Amours et dépite
Et défie à feu et a sang.
Mort par elles me précipite,
Et ne leur en chaut pas d'un blanc.
Ma vieille ai mis sous le banc;
Amants je ne suivrai jamais:
Se jadis je fus de leur rang,
Je déclare que n'en suis mais.

---

1. Des deux as que ce sont les deux trois.

Car j'ai mis le plumail au vent [1],
Or le suive qui a attente [2].
De ce me tais dorenavant,
Car poursuivre veuil mon entente.
Et s'aucun m'interroge ou tente
Comment d'Amour j'ose médire,
Cette parole le contente :
« Qui meurt, a ses lois de tout dire. »

. . . .

---

1. J'ai jeté la plume au vent.
2. Le suive qui en aura envie.

BALLADE
DES FEMMES DE PARIS

Quoi qu'on tient belles langagieres
Florentines, Veniciennes,
Assez pour être messagieres,
Et mêmement les anciennes ;
Mais soient Lombardes, Romaines,
Genevoises, a mes perils,
Pimontoises, Savoisiennes,
Il n'est bon bec que de Paris.

De très beau parler tiennent chaires,
Ce dit-on, les Napolitaines,
Et sont tres bonnes caquetieres
Allemandes et Prussiennes ;
Soient Grecques, Egyptiennes,
De Hongrie ou d'autre pays,
Espagnoles ou Catelennes,
Il n'est bon bec que de Paris.

Brettes, Suisses n'y savent gueres,
Gasconnes, n'aussi Toulousaines :
De Petit Pont deux harengieres
Les concluront [1], et les Lorraines,

---

1. Les réduiront au silence.

Angloises et Calaisiennes,
(Ai-je beaucoup de lieux compris?)
Picardes de Valenciennes;
Il n'est bon bec que de Paris.

Prince, aux dames Parisiennes
De bien parler donnez le prix;
Quoi que l'on die d'Italiennes,
Il n'est bon bec que de Paris.

ÉPITAPHE ET RONDEAU

« Ci gît et dort en ce solier [1],
Qu'amour occit de son raillon,
Un pauvre petit écolier
Qui fut nommé François Villon.
Oncques de terre n'eut sillon.
Il donna tout, chacun le sait :
Tables, tréteaux, pain, corbillon.
Galants, dites en ce verset :

Repos éternel donne a cil [2],
Sire, et clarté perpétuelle,
Qui vaillant plat ni écuelle
N'ot oncques, n'un brin de persil.

Il fut res, chef, barbe et sourcil,
Comme un navet qu'on ret ou pele.
Repos éternel donne a cil.

Rigueur le transmit en exil
Et lui frappa au cul la pelle,
Non obstant qu'il dît : « J'en appelle ! »
Qui n'est pas terme trop subtil.
Repos eternel donne a cil.

1. Grenier.
2. A celui-là.

L'ÉPITAPHE DE VILLON
EN FORME DE BALLADE

Freres humains qui après nous vivez,
N'ayez les cœurs contre nous endurcis,
Car, se pitié de nous pauvres avez,
Dieu en aura plus tôt de vous mercis.
Vous nous voyez ci attachés cinq, six :
Quant de la chair que trop avons nourrie,
Elle est pieça devoree et pourrie,
Et nous, les os, devenons cendre et poudre.
De notre mal personne ne s'en rie ;
Mais priez Dieu que tous nous veuille absoudre !

Se freres vous clamons, pas n'en devez
Avoir dédain, quoi que fumes occis
Par justice. Toutefois, vous savez
Que tous hommes n'ont pas bon sens rassis ;
Excusez nous, puis que sommes transis,
Envers le fils de la Vierge Marie,
Que sa grace ne soit pour nous tarie,
Nous preservant de l'infernale foudre.
Nous sommes morts, ame ne nous harie [1],
Mais priez Dieu que tous nous veuille absoudre !

---

1. Que nul ne nous accable.

La pluie nous a débués et lavés,
Et le soleil desséchés et noircis ;
Pies, corbeaux, nous ont les yeux cavés,
Et arraché la barbe et les sourcils.
Jamais nul temps nous ne sommes assis ;
Puis ça, puis la, comme le vent varie,
A son plaisir sans cesser nous charrie,
Plus becquetés d'oiseaux que dés a coudre.
Ne soyez donc de notre confrerie ;
Mais priez Dieu que tous nous veuille absoudre !

Prince Jesus, qui sur tous a maîtrie,
Garde qu'Enfer n'ait de nous seigneurie :
A lui n'ayons que faire ne que soudre [1].
Hommes, ici n'a point de moquerie ;
Mais priez Dieu que tous nous veuille absoudre !

---

1. N'ayons aucune dette à lui solder.

TABLE DES MATIÈRES

DÉPÔT LÉGAL : DÉCEMBRE 1993

N° D'ÉDITEUR : S 1431

ACHEVÉ D'IMPRIMER POUR
LES ÉDITIONS ROBERT LAFFONT
SUR LES PRESSES DE
BPCC HAZELLS LTD
AYLESBURY (GRANDE-BRETAGNE)
Printed in Great Britain